NAISSANCE
D'UNE LITTÉRATURE

Réjean Beaudoin

NAISSANCE
D'UNE LITTÉRATURE

*Essai sur le messianisme et les débuts de la
littérature canadienne-française (1850-1890)*

BORÉAL

1989

Illustration de la couverture:
Ozias Leduc, *Le petit liseur*. Huile, 1894.
(Musée des beaux-arts du Canada, Ottawa, 18023)

Cet ouvrage a été publié grâce à une subvention de la Fédération canadienne des études humaines, dont les fonds proviennent du Conseil de recherche en sciences humaines du Canada.

Données de catalogage avant publication (Canada)

Beaudoin, Réjean, 1945-
Naissance d'une littérature
ISBN 2-89052-300-4
I. Littérature canadienne-française – 19e siècle – Histoire et critique.   I Titre.

PS8073.2.B42   1989   C840'.9'004   C89-096394-0
PS9073.2.B42   1989   PQ3907.B42   1989

Introduction

Pauvre soldat, aux jours de ma jeunesse,
Pour vous, Français, j'ai combattu longtemps;
Je viens encor, dans ma triste vieillesse,
Attendre ici vos guerriers triomphants.
Ah! bien longtemps vous attendrai-je encore
Sur ces remparts où je porte mes pas?
De ce grand jour quand verrai-je l'aurore?
Dis-moi, mon fils, ne paraissent-ils pas?

OCTAVE CRÉMAZIE, *Le vieux soldat canadien*

Pourquoi revenir sur des textes et des auteurs dont la place est reconnue dans l'histoire de la littérature québécoise et qui ont déjà fait l'objet d'études sérieuses sinon de jugements définitifs? Dans l'activité intellectuelle de cette époque, par bien des côtés très proche des angoisses les plus actuelles, on reconnaîtra une volonté de répondre à des questions qui, malheureusement, n'ont pas cessé de nous interpeller. Le pari ambigu de ne pas être, mais

7

d'attendre quand même un recommencement, l'œil rivé à l'horizon de l'impossible comme le vieux soldat de Crémazie; l'entêtement d'attendre la résurrection au bout d'une vision désabusée, sous un ciel désert, historiquement lisse, vierge de tout avenir; la séduction passive de la défaite; la solution lente de l'inertie dans l'horreur bavarde des discours: voilà ce qui s'impose contre le désir d'être sans délai et sans terme, absolu et rassemblé dans une force intacte, accompli dans l'action suffisante de son intention et rencontrant le plein assentiment de son dessein.

Il y a plus de parenté que de rupture entre le Canada français messianique du curé Labelle et le Québec postréférendaire de Jean Larose, par exemple, marqué par une hésitation compulsive au seuil de l'auto-affirmation. «Nous sommes les patients de notre discours, lui-même maladie, passifs, et qui dit passif peut dire aussi passion. Notre spécificité est notre passion[1]»... Or je crois que la littérature canadienne-française du XIXᵉ siècle n'est pas étrangère à l'origine de cette passion.

Si l'effort concerté du Canada français de 1860 culmine dans le projet de créer une culture et une littérature nationales, il semble qu'il faille y voir l'effet de l'idéologie qui s'impose au même moment et qu'on s'accorde à désigner du nom de messia-

---

1. Jean Larose, «Une spécialité», dans *La petite noirceur*, Montréal, Boréal, 1987, p. 174.

nisme canadien-français. Tel sera donc le prétexte
ou, plus exactement, le cadre de cet essai. Il s'agira
d'abord de remonter aux sources principales de ce
nationalisme singulier, qui ne s'inscrit pas moins
dans le contexte d'un vaste débat qui divise alors
l'Europe pensante et redessine la carte du monde,
depuis la chute de l'absolutisme combattu par les
Lumières jusqu'à l'héritage démocratique de la
Révolution. La conjoncture mondiale agit sur la
situation du peuple canadien, qui mesure ses chan-
ces de survivre à l'idée historique d'une Amérique
française. Si l'on transpose les termes du conflit
intellectuel, militaire et politique que se livrent la
France et l'Allemagne en Europe, on découvre que
cet affrontement entre l'esprit des Lumières et celui
du pangermanisme romantique n'est pas sans res-
sembler à celui qui oppose ici les tenants du
libéralisme britannique à ceux du nationalisme culturel. Dans un cas comme dans l'autre, il s'agit de
deux conceptions irréductibles de l'ordre social
commandées par deux définitions inconciliables de
la nation. La pensée nationaliste conjugue l'absolu
religieux avec l'instinct politique et la différence
linguistique, trois éléments dont chacun est séparé-
ment capable de grands effets historiques. Que ne
peut-on pas attendre de la violence moderne d'un
tel système de forces dans la conjoncture qui est
celle du Canada français? La notion de «génie
national» (*Volkgeist*), issue du romantisme allemand,
admet en effet l'irrationnel de l'âme collective pour
l'opposer à la raison universelle du contrat social.

Qu'est-ce qui fait la nation? Est-ce le libre consentement des individus? Ou est-ce plutôt la masse compacte d'une culture commune à toutes les volontés individuelles, qui perdent aussitôt leur liberté pour se fondre dans la gangue matricielle de la langue, des usages et des signes propres à leur milieu d'origine? Le romantisme privilégie cette seconde conception, comme l'écrit Alain Finkielkraut:

> Loin, en effet, que les sujets humains forment consciemment la communauté dans laquelle ils vivent, celle-ci façonne insidieusement leur conscience. La nation n'est pas composée à partir de la volonté de ses membres, c'est la volonté de ceux-ci qui est commandée par leur appartenance à la totalité nationale. Voici donc transmué en détermination inconsciente ce qui relevait de l'adhésion réfléchie des individus[2].

C'est en quelque sorte la réplique adressée par le positivisme à la philosophie des Lumières reprise par la Révolution française, qui prétendait fonder la société sur l'universalité de la raison individuelle. Le traditionalisme contre-révolutionnaire a été le premier à tirer parti de cet argument pourtant étayé par le nouvel esprit scientifique. Le concept de génie national, écrit encore Finkielkraut, «fait son apparition en 1774, dans le livre de Herder, *Une autre philosophie de l'histoire* (...). Rien, selon Herder, ne transcende la pluralité des âmes collectives: toutes les valeurs supranationales, qu'elles soient juridi-

---

2. Alain Finkielkraut, *La défaite de la pensée*, Paris, Gallimard, 1987, p. 26.

ques, esthétiques ou morales, sont déchues de leur souveraineté[3].» La pensée européenne résistera durablement au triomphe d'une telle thèse, pour lui opposer continuellement l'évidence du dépassement des limitations et des déterminismes par ailleurs indéniables de l'histoire. Au Canada français, par contre, on verra plutôt François-Xavier Garneau jeter son *Histoire du Canada* en travers du chemin tracé par l'esprit éclairé du Rapport Durham.

Rien du reste n'est pur ni sans mélange dans les éléments de ce tableau intercontinental, et c'est chez les représentants français du concept de «génie national» que les idéologues canadiens-français vont naturellement faire provision d'arguments, en lisant Joseph de Maistre, Louis de Bonald, Félicité de Lamennais, plus tard Rameau de Saint-Père, puis Louis Veuillot et Léon Bloy. Cela ne les empêche d'ailleurs pas d'être en même temps les loyaux défenseurs des libertés du régime parlementaire britannique dont personne ne remet plus la légitimité en cause après les affrontements sanglants de 1837-1838. C'est dire à quel point leur nationalisme s'est complètement réfugié dans l'argument culturel. Les promoteurs de la littérature nationale du mouvement de 1860, par exemple, élaboreront une doctrine inspirée du romantisme français catholique et légitimiste, contre la tendance démocratique et libérale du même romantisme qui s'imposera plutôt dans l'histoire littéraire française.

---

3. *Ibid.*, p. 14.

Puisque ces pages doivent servir à exposer l'objet de cet essai et que je ne veux pas récrire le *Discours sur l'histoire universelle* (Bossuet est une référence commune à plusieurs auteurs dont je vais parler), j'irai droit au but: quels sont mes objectifs, ma méthode, mon corpus?

Et d'abord, quelle sera ma définition du messianisme canadien-français? J'ai pris le parti de le laisser se définir lui-même, au fil des auteurs et des textes qui en ont été les premiers témoins entre 1850 et 1890. Cela dit, j'ai voulu considérer le messianisme non pas en lui-même mais dans son rapport avec le projet littéraire. Le choix de la période (1850-1890)[4] veut d'abord dater l'événement de la naissance de la littérature canadienne-française qui semble constituer la grande (la seule?) réalisation de ce messianisme, au lendemain du Canada-Uni de Lord Durham et jusqu'à la fin du gouvernement d'Honoré Mercier.

Mes deux premiers chapitres étudient les principaux définisseurs du messianisme canadien-français et le discours sur la littérature nationale qui apparaît entre l'histoire et la critique littéraire. Ces premiers chapitres portent sur des auteurs et des textes généralement inaccessibles aux non spécialistes. À quoi bon exhumer cette vénérable rhéto-

---

4. C'est ce qui explique qu'une œuvre majeure, comme celle de François-Xavier Garneau, élaborée avant 1850, ne soit pas analysée ici; celles de Nelligan et d'Edmond de Nevers, qui l'ont été après 1890, ne le sont pas non plus.

rique, maintenant morte et enterrée, demandera-t-on. Afin de circuler librement parmi des documents capables de donner au lecteur une image vivante de ce que fut la formation idéologique du messianisme canadien-français. Il s'agit d'éclairer de cette façon une dimension fondamentale de la littérature québécoise au berceau; montrer comment certaines idées s'emparent de la pensée nationaliste, s'y répandent, s'imposent à elle et trouvent un de leurs champs de structuration les plus durables dans la création d'une littérature nationale; repérer les images et les représentations qui surgissent dans cette littérature: tels sont mes objectifs. Le troisième chapitre retient l'abbé Casgrain et Joseph-Charles Taché comme auteurs de légendes canadiennes. Le choix de ces deux écrivains dans le vaste répertoire des légendes canadiennes ne repose pas sur des critères esthétiques. La médiocrité du genre est connue et on admet généralement que cette production jadis florissante sort complètement du champ d'intérêt du lecteur moderne, au point d'être devenue à peu près introuvable ailleurs qu'en bibliothèque. Pourquoi alors ces deux auteurs? D'abord parce que leur écriture, en dépit et souvent à cause de ses maladresses, pose le problème du passage de la loi à la parole, de l'autorité doctrinale au code esthétique, de la vérité au jugement de goût. Aussi parce que ce rapport, qui se lit clairement dans le fonctionnement narratif de leurs légendes, suggère l'idée d'une inflexion féminine des tables de la loi patriarcale, lorsqu'il s'agit de les graver dans la cire chaude du texte national: c'est là que la littérature substitue le visage de la mère au discours du père. Enfin parce que Casgrain et Taché sont deux acteurs de première importance dans ce qu'on appelle le mouvement de 1860, qu'ils font partie des fondateurs de la première revue littéraire, les *Soirées canadiennes*, et qu'ils ont tous deux pris part à la définition de la légende qui tient lieu de modèle proposé à cette littérature, dont ils comptent également parmi les premiers artisans.

Les quatrième, cinquième et sixième chapitres sont respectivement consacrés à Philippe Aubert de Gaspé, Antoine Gérin-Lajoie et Louis-Honoré Fréchette, qu'on peut appeler des classiques. Mais ce qui m'intéresse chez eux, c'est le sort qu'ils font dans leur œuvre aux grandes images du discours dominant qu'ils essaient chacun d'adapter aux exigences d'une forme poétique, roman ou épopée. C'est également chez eux qu'on peut le mieux observer les stratégies adoptées, compte tenu des contraintes formelles d'un genre, pour concilier le message monolithique de la prédestination avec l'image du passé et l'angoisse du présent. On ne saurait mieux cerner l'ensemble des questions qui se posent à la littérature lorsqu'elle est appelée à traduire, avec l'obligation de fidélité et d'expressivité qui incombe à toute traduction, la voix impersonnelle et sacrée qui dicte la condition d'existence de la nation élue. Là se trouve en même temps la condition d'existence de la littérature, puisque la vie de la communauté et la loi qui la résume lui prescrivent

14

d'une seule voix le même texte. Enfin, puisque la littérature ne peut pas éviter de rendre avec des accents personnels l'autorité morale de l'injonction divine, c'est chez Aubert de Gaspé, Gérin-Lajoie et Fréchette qu'on peut le mieux observer, me semble-t-il, la manière dont l'abstraction du symbole religieux, où s'est réfugiée l'âme de l'écrivain, reçoit l'émotion d'un individu et l'expression d'un sujet personnel.

On répète partout des choses à faire frémir sur la noirceur absolue du XIXe siècle canadien-français. On prétend unanimement que sa production intellectuelle est incompatible avec la conception moderne de la littérature. On ne l'enseigne qu'à contrecœur, de peur de scandaliser des générations d'étudiants frottés de théorie et gavés de postmodernité. C'est le résultat navrant et peut-être inévitable de l'abus des grilles de lecture commodes qui peuvent également, entre autres modes d'emploi, servir à éviter de lire. Je refuse quant à moi de croire que les textes que j'ai lus et un peu médités soient exclus du champ de la littérature. Je pense qu'il est temps de les lire vraiment, de toutes les façons possibles, avec toutes les grilles disponibles et même, si c'est possible, sans grille du tout.

Ce que j'ai voulu faire, c'est essentiellement de chercher, dans les textes que je viens d'énumérer, les représentations ou les images du discours qui m'a servi de fil conducteur dans cette masse documentaire. Le messianisme canadien-français est le nom approprié de ce discours, et ses images ne sont pas des découvertes que j'exhibe comme étant absolument neuves, puisqu'elles évoquent souvent des idées que ne manqueront pas de reconnaître les lecteurs qui sont familiers avec les travaux critiques sur les débuts de la littérature québécoise. En fait, on lira cet essai comme un état présent de ma connaissance sur le sujet. Je n'ai peut-être que creusé, après tout le monde, l'inépuisable question: comment naît-on à la littérature?

Pour dire exactement quel est l'objet de mon travail, je suis tenté de commencer par expliquer ce que j'en ai délibérément écarté. Le point de départ de ce livre était une étude du messianisme canadien-français, travail qui m'a permis de constater que l'histoire de cette idéologie rassemble certaines conditions définies par la sociologie des religions; d'où l'usage de certains concepts comme le millénarisme, l'utopie, la catégorie de l'échec, les religions de l'espérance, autant de notions pouvant aider à déterminer l'épicentre de la secousse qui devait ébranler le destin du peuple élu. Mais les textes ainsi abordés appartenaient à une structure sociale dont tout indiquait qu'elle n'avait jamais manifesté la moindre velléité de protestation contre sa situation précaire, son asservissement séculaire et son avenir entravé (je parle toujours de la période qui va du milieu du XIXe siècle jusque vers 1890). Il m'a donc semblé que je travaillais avec les outils de l'émancipation sur la pensée de l'enfermement. En d'autres termes, je ne voyais pas comment l'idée messianique pouvait ici se décrire dans une perspective révolutionnaire, de quelque côté qu'on veuille l'aborder. Car dans la théorie[5] que j'avais adoptée et qui portait mes hypothèses, le messianisme était défini comme une religion immanente, capable de produire des effets spécifiques dans une société symboliquement structurée par le mythe judéo-chrétien[6]. Or le patriotisme sonore de ma période et sa rhétorique transposée dans la littérature nationale n'émanent pas d'un mythe populaire effervescent, mais d'une élite soucieuse au contraire de prévenir toute répétition des événements de 1837-1838, dont le traumatisme servait de repoussoir à l'émergence de toute idéologie populaire. J'ai dès lors pensé à réorienter mon approche, et la pudeur théorique me parut le meilleur moyen de ne pas dévier de mon sujet. Ayant vainement cherché les traces d'une révolution, au moins virtuelle, je trouvais les signes de la naissance d'une littérature.

Tout cela m'avait entraîné assez loin des écrivains et des balbutiements de la fiction, mais m'avait

---

5. Voir Henri Desroche, *Sociologies religieuses*, Paris, Presses universitaires de France, 1968, 220 pages; aussi, du même auteur, *Les dieux rêvés, théisme et athéisme en utopie*, Paris, Desclée, 1972, 227 pages, et *Les religions de contrebande*, Mame («Bibliothèque repères-sciences humaines-idéologies»), 1974, 230 pages; François Laplantine, *Les trois voix de l'imaginaire: le messianisme, la possession et l'utopie*, Paris, Éditions Universitaires («Je»), 1974, 256 pages; Wilhelm E. Muhlmann, *Messianismes révolutionnaires du tiers monde*, traduit de l'allemand par Jean Baudrillard, Paris, Gallimard, 1968, 384 pages; Gershom G. Scholem, *Le messianisme juif, essais sur la spiritualité du judaïsme*, Calmann-Lévy («Diaspora»), 1974, 504 pages.

6. Le point de départ de ma recherche est formulé dans «Considérations sur le messianisme canadien-français», *Écrits du Canada français*, n° 53, 1984, p. 105-125.

par contre donné à réfléchir sur un fait étonnant: le discours messianique qui, depuis des millénaires, avait semé le vent de la révolte populaire contre les empires et les royaumes imposés par un pouvoir étranger, ce discours était devenu, au Canada français, celui de la résignation à la mort et de la patience des faibles. Cette conclusion n'avait rien d'exaltant. Mais je crois au fond qu'elle se méprenait sur son objet, qu'elle durcissait cet objet sans se demander s'il ne s'agissait pas d'autre chose, peut-être même d'une non chose: par exemple, de la représentation d'un sujet. À ce moment-là s'est effectué un renversement de ma perspective. Condamner le messianisme pour cause d'échec notoire, c'était aussi reconnaître l'apparition de la littérature; le mensonge de l'un signait l'avènement de l'autre et ce qui avait échoué quelque part avait néanmoins réussi ailleurs; la réalité sociale s'aliénait dans un rêve impuissant, mais ce rêve prenait forme dans une réalité fictive. C'était donc là qu'il convenait de suivre l'évolution de ce messianisme dont la métamorphose en texte poétique pouvait, dès lors, servir de trame à mon enquête. Il s'agirait encore du messianisme, mais dans la mesure où il avait engendré l'institution littéraire, qui est du reste sa seule progéniture encore vivante et toute sa réalité historique.

Ma définition du messianisme canadien-français s'arrête par conséquent à l'univers symbolique qui se tient à l'arrière-plan de la littérature canadienne-française en état de gestation. Les pages qui suivent proposent donc une synthèse de cette littérature naissante sous l'angle de l'idéologie qui la sous-tend. Mais c'est à l'analyse de l'imagination littéraire et de ses défauts que je veux surtout essayer de contribuer, espérant ainsi que mes propos serviront à une meilleure compréhension de la littérature québécoise actuelle, dont plusieurs questions trouvent leur formulation initiale chez les auteurs que j'ai fréquentés.

Ainsi donc, les trois premiers chapitres de cet ouvrage portent sur une vingtaine d'auteurs plus ou moins oubliés, les trois derniers sur trois noms consacrés (Aubert de Gaspé, Fréchette, Gérin-Lajoie). Mon essai suit ainsi un schéma en forme d'entonnoir: les thèses récurrentes du messianisme s'engouffrent à l'entrée, tandis qu'à la sortie se dessine une écriture filtrée par elles. L'ensemble forme une sorte de système où le sentiment patriotique conduit à l'appropriation d'une tradition littéraire. Entre ce double treillis, le rapport se comprend d'abord en mesurant la distance variable qui les sépare et le grain du tamisage qui en résulte: très gros dans les légendes, ce grain forme une texture relativement fine dans les romans, pour devenir une sorte de lourd carrelage — la versification — en poésie. J'ai constamment privilégié dans l'analyse les points de raccordement et les écarts sensibles de ces deux instances autonomes qui travaillent à l'élaboration d'une structure imaginaire dont la continuité me paraît indéniable depuis les débuts de la littérature canadienne-française jusqu'à la littérature québécoise d'aujourd'hui.

1

Les origines de la mission

La petite nationalité française du Canada (...) est comme une barque échouée sur une place lointaine, et qui résiste longtemps aux vagues; mais la marée monte, et tout à l'heure le nouveau peuple va l'engloutir.

ERNEST DUVERGIER DE HAURANNE,
Huit mois en Amérique

Le mythe de l'Âge d'Or comme métaphore de l'Ancien Régime et du temps glorieux de la Nouvelle-France est commun à tous nos historiens jusqu'à Lionel Groulx. Selon Serge Gagnon, qui a consacré une étude importante à ce sujet, «ce serait une erreur de croire que l'approche providentielle fut privilégiée par les seuls hagiographes. Chez les historiens-clercs du XIXᵉ siècle, elle convenait tout aussi bien au récit profane[1].»

---

1. Serge Gagnon, *Le Québec et ses historiens de 1840 à 1920 - La Nouvelle-France de Garneau à Groulx*, Québec, PUL, 1978, p. 59.

L'histoire de la fondation de Montréal présente sous ce rapport une suite d'événements qui semble faite pour illustrer la thèse de l'épopée mystique des origines de la nation. Le rôle des sulpiciens est certes déterminant tant dans la mission des colons fondateurs de Ville-Marie au XVIIᵉ siècle que dans l'historiographie du XIXᵉ relatant le dessein providentiel qui les avait guidés. Jean-Jacques Olier, prêtre de la Compagnie du Saint-Sacrement, fonde la maison de Saint-Sulpice et réunit en 1639 les capitaux et les personnes influentes qui vont obtenir du roi la concession de l'île de Montréal pour y établir une entreprise vouée exclusivement à la conversion des infidèles. En 1857, un autre prêtre de Saint-Sulpice, l'abbé Hyacinthe Rouxel, publie le texte de deux conférences qui affirment l'inspiration divine de la cité fondée par Maisonneuve en 1642. L'auteur y voit un modèle de société conforme à l'idéal de l'Église primitive. Les deux conférences données au cabinet de lecture paroissial et publiées par le journal *La Minerve* s'intitulent «Les premiers colons de Montréal» et «La vocation de la colonie de Montréal». L'abbé Rouxel (1830-1899) est français; il est arrivé au Canada en 1855 et a enseigné la théologie au Grand Séminaire[2].

La prose fleurie de l'abbé Rouxel coule de la plume d'un prédicateur plus que d'un historien, mais l'image du passé qui s'en dégage rejoint celle

------

2. Informations tirées de Henri Gauthier, *Sulpitiana*, Montréal, Bureau des œuvres paroissiales de Saint-Jacques, 1928, p. 257.

de l'historiographie de l'époque. La métaphore centrale rapproche les premiers colons des héros de l'épopée classique:

> Et la fuite d'Énée et de ses compagnons chassés de leur patrie en cendres, et courant à l'aventure de mer en mer pour trouver un asile; quel sujet pauvre et mesquin, en comparaison de cette colonie de héros chrétiens qui, renonçant à une vie douce et calme dans la belle France, vont avec joie s'ensevelir tous vivants dans une région lointaine, qu'ils arroseront de leurs sueurs, qu'ils consacreront de leur sang; et cela, uniquement pour sauver leurs frères et leur procurer une éternelle félicité[3]!

Même si l'on reconnaît là un lieu commun de l'histoire scolaire qui s'enseignait encore à la fin des années 1950, il faut songer plutôt aux premiers destinataires du texte, les auditeurs du cabinet de lecture paroissial à qui sont adressées ces références et allusions à l'antiquité classique. La réception du texte passant d'abord par le réseau des institutions qui assurent sa transmission, on notera que la date de cet écrit coïncide avec celle de la fondation dudit cabinet de lecture, créé pour contrer l'influence des associations laïques qui foisonnent à l'époque autour de l'Institut canadien.

Qu'est-ce au juste qu'un cabinet de lecture? C'est une bibliothèque publique soutenue par un programme de rencontres et de conférences, un lieu de débat idéologique et intellectuel relayé par la presse écrite. L'évêché contrôle directement des

---

3. Hyacinthe Rouxel, «Les premiers colons de Montréal», Montréal, Au Bureau de *La Minerve*, 1857, p. 7.

journaux et la conférence de l'abbé Rouxel paraît dans les pages de *La Minerve*, feuille alors conservatrice. Nous touchons ici à un rouage de l'institution, que décrit l'historien Marcel Lajeunesse:

> La conférence publique du Cabinet de lecture était préparée à l'avance, était rédigée dans un texte suivi et était lue devant un auditoire. Les mots de présentation ou de remerciement d'un conférencier pouvaient être improvisés, mais jamais la conférence elle-même. (...) Les conférences du Cabinet de lecture furent, évidemment, d'inégale valeur. Par ailleurs, on ne peut nier que de 1857 à 1859 la salle du Cabinet, petite rue Saint-Joseph, était toujours comble, et qu'après l'inauguration du nouveau Cabinet, environ huit cents personnes pouvaient assister aux conférences[4].

Quant aux buts du cabinet, le jésuite Firmin Vignon les définissait ainsi en 1857:

> Le but, c'est de développer dans l'âme du jeune homme ces germes précieux que la providence y a placés pour en faire un jour un citoyen utile à la Patrie, peut-être un grand homme; le but, c'est d'initier le jeune homme à l'accomplissement des devoirs de la vie civile, non par les motifs d'un intérêt sordide ou de quelque passion mauvaise, mais par ceux de l'honneur et de la conscience, qui sont les seuls, vraiment dignes de l'homme et du chrétien; le but, c'est de prémunir l'intelligence et le cœur contre le poison des doctrines perverses; le but, c'est encore d'armer le jeune homme pour la défense des principes conservateurs de la patrie et de la foi; le but enfin, c'est de faire trouver, dans cet amour de la science dont le jeune homme est dévoré, le remède aux maux

---

4. Marcel Lajeunesse, *Les Sulpiciens et la vie culturelle à Montréal au XIXe siècle*, Montréal, Fides, 1982, p. 87 et 90.

qui affligent le Canada, qui remplissent de découragement l'âme des citoyens dévoués et qui sont pour le prêtre une cause d'amertumes et de cruels chagrins[5].

Voilà qui renseigne sur le profil de l'auditeur de l'abbé Rouxel. Il s'agit donc de cette «élite» des petits séminaires, c'est-à-dire de la jeunesse à recruter pour renouveler les rangs du clergé et de la petite bourgeoisie professionnelle. D'où ce répertoire de références littéraires classiques infléchies dans le sens national et religieux, les guerres iroquoises métamorphosées en nouvelle bataille des Thermopyles, pendant que le sieur de Maisonneuve refait en mieux les travaux mythiques d'Énée, l'historique fondateur de Ville-Marie rejoignant ainsi le légendaire fondateur de Rome. Et l'abbé Rouxel conclut sur cette représentation de la cité montréalaise comme «vivante image de sa céleste mère, la sainte Église... fondement de vos principes sociaux et politiques».

Un autre sulpicien français, l'abbé Étienne-Michel Faillon, fut le véritable pionnier de l'histoire montréalaise. D'abord biographe des grandes figures féminines associées au premier établissement montréalais (Marguerite d'Youville, Jeanne Mance, Marguerite Bourgeoys), Faillon s'attaque finalement à une monumentale *Histoire de la Colonie française en Canada* dont les trois volumes, parus en 1865 et en 1866, ne sont que les premiers d'une vaste synthèse qui devait en compter une douzaine, projet soutenu

5. *Ibid.*, p. 91.

par Mgr Bourget. «Aux yeux de Faillon, écrit Serge Gagnon, seuls les héros montréalais ont réalisé pleinement les desseins de Dieu[6].» La méthode et la thèse du sulpicien, toujours selon Gagnon, allaient servir de «modèle à l'histoire cléricale pour les écrivains canadiens en voie de prendre la relève des historiens étrangers dans l'élaboration d'une mémoire nationale[7]». Ses travaux, en effet, ont certainement contribué à asseoir l'autorité de l'argument historique en faveur du messianisme national et sont fréquemment cités par les principaux idéologues canadiens-français comme Mgr Laflèche et l'abbé Casgrain.

Mais l'œuvre la plus importante parmi celles qui devaient faire écho au fait canadien-français en France est sans doute celle d'Edme Rameau de Saint-Père, qui prit également une part active à la définition idéologique du nationalisme canadien-français. Par ses ouvrages historiques, mais également par les liens qu'il entretint avec les principaux représentants du petit milieu intellectuel canadien-français, Rameau a exercé une influence majeure sur l'élaboration et la diffusion des idées messianiques[8]. Les deux volumes de *La France aux colonies*,

---

6. *Dictionnaire des œuvres littéraires du Québec*, tome I: *Des origines à 1900*, Montréal, Fides, 1978, p. 313.

7. *Ibid.*, p. 315.

8. Sur Edme Rameau de Saint-Père (1820-1899), on peut consulter: Jean Bruchési, *Rameau de Saint-Père et les Français d'Amérique*, Montréal, Les Éditions des Dix, 1950, 59 pages; Pierre et Lise Trépannier, «Rameau de Saint-Père et le métier d'historien», *Revue d'histoire de l'Amérique française*, vol. 33, n° 3, déc. 1979, p. 331-355.

publiés en 1859 pour marquer le centenaire de la conquête, ont eu un grand retentissement au Canada. Étienne Parent, François-Xavier Garneau, Joseph-Charles Taché, le curé Labelle, les abbés Ferland et Casgrain, Chauveau, Viger, Papineau, tous ont accueilli avec enthousiasme l'appui de l'historien de la France coloniale qui les autorisait à fonder formellement leur patriotisme sur l'héritage du catholicisme français.

Rameau situe d'emblée le destin canadien-français sur l'échiquier moderne de l'Amérique anglo-saxonne. Dans *Situation religieuse de l'Amérique anglaise*[9], il poursuit de front deux objectifs: défendre la supériorité spirituelle du catholicisme sur toute autre confession et justifier sa thèse par de rigoureuses enquêtes démographiques. Ainsi, l'argument moral et la recherche scientifique s'appuient constamment l'un sur l'autre. L'essentiel de la pensée de Rameau sur le sujet se trouve dans un chapitre de *La France aux colonies* intitulé «De l'avenir moral et intellectuel des Canadiens en Amérique». L'antagonisme entre mœurs anglo-saxonnes et mission franco-canadienne y est clairement formulé:

> Tandis qu'aux États-Unis les esprits s'absorbent avec une préoccupation épuisante dans le commerce, dans l'industrie, dans l'adoration du veau d'or, il appartient au Canada de s'approprier avec désintéressement et une noble fierté le côté intellectuel, scientifique et artistique du mouvement américain, en s'adonnant avec préférence au culte du sentiment, de la pensée et du beau. (...)

---

9. Paris, Doumiol, 1886, 32 pages.

> Accorder un souci moindre à l'industrie et au commerce, s'adonner davantage à l'agriculture, plus utile peut-être pour la vraie puissance des nations, et moins répulsive certainement au développement intellectuel; s'attacher avec la plus grande sollicitude, non pas seulement à répandre l'instruction, mais à en rehausser le niveau en même temps que celui de l'intelligence générale, marier l'élévation des idées à la science la plus sérieuse, et rehausser par la beauté de la forme la solidité de la pensée, voilà le but que les Canadiens doivent se proposer, et l'essence même du caractère national, se faisant jour par leurs tendances et leurs goûts, les y portera naturellement[10].

Ce programme contient presque intégralement tous les éléments de la politique canadienne-française inspirée par l'ultramontanisme clérical qui s'affirme au même moment, alors que la fraction libérale de la bourgeoisie laïque perd de son influence à la suite de la dissolution de l'Institut canadien. Le succès de cette stratégie dépend évidemment de la fermeté de la résistance que les Canadiens français sauront opposer à la séduction exercée par les États-Unis, comme Rameau ne manque pas de le rappeler:

> Pour réussir dans cette tâche, il faut nécessairement renoncer à toute espèce de transaction avec les usages américains; que la répulsion nationale mieux qu'une barrière de douanes, mette embargo sur tout ce qui sent l'américanisme à la frontière du pays canadien, que chacun se méfie et repousse avec dédain la funeste contagion de cette civilisation malsaine, et pour finir par une expression vulgaire et toute française, qu'il soit à la mode d'être Canadien et ridicule d'être Américain[11].

---

10. *La France aux colonies*, tome 2, Paris, A. Jouby, 1859, p. 263-264.

11. *Ibid.*, p. 262.

La position de Rameau n'est pas seulement une conviction personnelle; elle s'inscrit dans la continuité d'une pensée historique et appartient à ce que l'on peut appeler, selon l'expression de Hans Robert Jauss, l'*horizon d'attente* du discours traditionaliste. On retrouve le même *horizon d'attente* chez de nombreux voyageurs et observateurs français qui, depuis Chateaubriand[12], ont laissé des relations écrites de leur séjour au Nouveau Monde. Presque tous partagent le même point de vue, la même idée française de l'Amérique, généralement teintée d'une condamnation sans appel de la vulgarité marchande des États-Unis et d'une grande admiration pour la société canadienne-française. Je ne citerai qu'une seule de ces relations de voyage dont le genre est alors florissant. Le discours qui s'y lit est largement répandu au cours de la période qui voit l'élaboration du messianisme canadien-français, si bien que celui-ci a pu y rencontrer, pour ainsi dire dans l'air ambiant, plusieurs de ses figures centrales et de ses thèmes préférés. En 1851, l'homme de lettres français Xavier Marmier publie en deux volumes ses *Lettres sur l'Amérique*. Voici ce qu'il écrit à propos de New York:

---

12. L'auteur du *Voyage en Amérique* écrivait déjà, en dépit de son admiration déclarée pour la jeune république américaine qu'il appelle «un des plus grands événements politiques du monde»: «Enfin les Américains sont-ils des hommes parfaits? (...) L'esprit mercantile ne les dominera-t-il pas? L'intérêt ne commence-t-il pas à devenir chez eux le défaut national dominant?» (Paris, Gabriel Roux, 1855, p. 230)

Eh bien! je vous le dirai, je m'étais fait une autre image de l'Amérique. (...) En pensant de loin à New-York, je voyais cette ville s'élever comme une île enchantée entre les vagues de l'Océan et les flots azurés de l'Hudson, dans le prestige poétique d'un monde paré des charmes de la jeunesse. Et le prestige a disparu, et ma folle poésie s'est noyée dans des tourbillons de vapeur. Je ne vois plus à présent ici qu'une vaste métropole qui, par toutes ses portes, par toutes ses fenêtres, annonce une nouvelle ère et proclame un nouveau dogme. Pendant que la vieille Europe cherchait dans les orages des révolutions les nouvelles lois qui, il est vrai, n'étaient pas toujours celles de Dieu, en dépit de l'axiome: «Vox populi, vox Dei», la république des États-Unis a fait comme les Israélites, elle s'est passionnée pour le veau d'or, elle s'est agenouillée devant lui. Nul Moïse ne l'arrachera à ce culte idolâtre. (...) Il n'y a qu'une religion vraie, la religion du bien-être matériel. La banque est son temple, le registre en partie double sa loi, et l'or californien son soleil.

(...) New-York est la Jérusalem de cet Évangile, et toutes les autres cités se conforment à qui mieux mieux à l'enseignement de New-York[13].

La métaphore biblique montre bien où le bât blesse et comment le Canada français pourra trouver sa place sur cet échiquier géopolitique: à la manière d'une vérité chargée de corriger une erreur; entre «le prestige poétique d'un monde paré des charmes de la jeunesse» et la restauration du culte du veau d'or. Et de fait, Marmier, qui s'était embarqué au lendemain de 1848, vante la simplicité des mœurs de nos campagnes et la politesse de nos habitants.

---

13. *Lettres sur l'Amérique*, tome I, Paris, A. Bertrand, 1851, p. 268-270.

Telle est donc également la perspective de Rameau qui, après une jeunesse sympathique aux idées révolutionnaires, ressent une profonde déception devant la Révolution de 1848. «Rameau, écrivent Pierre et Lise Trépannier, qui croyait assister à l'aube d'une ère nouvelle, fondée tout ensemble sur la démocratie, la réforme sociale et la restauration de l'esprit religieux dans le peuple, dut se résigner à voir Louis-Napoléon relever les aigles de son oncle[14].» Comme historien, Rameau empruntera les éléments de sa méthode à la Société d'économie sociale de Frédéric Le Play[15] qui voulait jeter un pont entre l'étude des familles et celle des peuples. Pour justifier sa conviction de voir un jour le Canada reprendre le grand projet d'une Amérique française, l'auteur de *La France aux colonies* soutient que le principe de la variété est nécessaire à l'évolution de l'humanité. Or «les États-Unis exercent (...) seuls aujourd'hui une influence notable sur leur continent[16]». De là à pressentir la décadence de la république américaine, il n'y a qu'un pas vite franchi:

> L'État romain sous Auguste, dans tout l'éclat de sa gloire, commençait déjà à périr. Or les Américains, qui ont débu-

---

14. «Rameau de Saint-Père et le métier d'historien», p. 333.
15. Frédéric Le Play (1806-1882), polytechnicien et sociologue, est alors le principal représentant en France du catholicisme social de tendance traditionaliste. Sa Société d'économie sociale (1856) a ensuite donné naissance à une branche dissidente fondée par Demolins: la Science sociale.
16. *La France aux colonies*, tome II, p. 250.

té par un puritanisme sévère, trop sévère peut-être, ont d'autant moins échappé aux communs effets de la sagesse humaine, qu'ils se sont plus infatués d'eux-mêmes[17].

C'est encore la thèse de l'identité culturelle qui profite de l'argument de la diversité conçue comme facteur de progrès universel. On reconnaîtra là une autre caractéristique de l'*horizon d'attente* qui sous-tend la formation du messianisme canadien-français. Rameau n'est pas le seul défenseur de cette façon de voir. Voici par exemple ce qu'écrit Claudio Jannet:

> La division de l'humanité en nationalités diverses et particulièrement la juxtaposition des petits États au milieu des grandes agglomérations, sont un des plus puissants moyens providentiels de conservation et de progrès. Ces petits États servent à arrêter les débordements de la corruption et à maintenir une salutaire émulation entre les peuples. Les Canadiens sont incontestablement mieux doués sous le rapport de la culture intellectuelle que le peuple des États-Unis ainsi que sous celui de l'esprit chevaleresque et du caractère religieux. Leur rôle est de conserver dans le nouveau monde ces éléments supérieurs de civilisation[18].

C'est toujours un écho du Rameau de *La France aux colonies* qu'on entend dans ce genre de déclaration dont le message est souvent tranposé dans le contexte local par le clergé qui se fera le promoteur de la littérature nationale. Ainsi l'abbé Casgrain, homme à tout faire du réveil culturel des années 1860, écrit en 1866 dans «Le mouvement littéraire au Canada»:

---

17. *Ibid.*, p. 256.
18. *Les États-Unis contemporains*, tome II, Paris, Plon, 1876, p. 146-147.

Quelle action la Providence nous réserve-t-elle en Amérique? Quel rôle nous appelle-t-elle à y exercer? Représentants de la race latine, en face de l'élément anglo-saxon, dont l'expansion excessive, l'influence anormale doivent être balancées, de même qu'en Europe, pour le progrès de la civilisation, *notre mission et celle des sociétés de même origine que nous, éparses sur ce continent*, est d'y mettre un contrepoids en réunissant nos forces, d'opposer au positivisme anglo-américain, à ses instincts matérialistes, à son égoïsme grossier, les tendances les plus élevées, qui sont l'apanage des races latines, une supériorité incontestée dans l'ordre moral et dans le domaine de la pensée[19].

L'auteur cite ensuite Rameau dans un large extrait de *La France aux colonies* qui déroule la vision idyllique d'un pays de tradition française consacré à l'agriculture et aux arts libéraux.

* * *

L'abbé Henri-Raymond Casgrain occupe dans la vie littéraire de son milieu et de son temps une place considérable à la fois comme écrivain, comme critique, comme éditeur et comme animateur. Identifié au mouvement de 1860 qui travailla à la mise en œuvre du projet de création d'une littérature nationale, il allait ouvrir au messianisme le champ du discours poétique. L'auteur des *Légendes canadiennes* a donné en 1864, en guise d'introduction à sa biographie de Marie de l'Incarnation, une «esquisse sur l'histoire

---

19. Henri-Raymond Casgrain, *Oeuvres complètes*, tome I, p. 370. C'est moi qui souligne.

religieuse des premiers temps de cette colonie»,
texte de 70 pages qui constitue, selon Serge Gagnon,
«une des premières systématisations de l'utopie
clérico-nationaliste[20]».

Pour l'abbé Casgrain, «l'histoire du Canada, en
effet, est, pour ainsi dire, l'histoire de la religion et
de la civilisation sur les rivages du Saint-Laurent[21]».
S'appuyant sur l'autorité de *L'histoire universelle de
l'Église catholique* de François Rohrbacher[22], il
soutient que «la découverte du continent américain
fut l'œuvre des croisades», car «l'Europe chrétienne
(ayant) pris la croix pour conquérir un tombeau, en
récompense Dieu lui donna tout un monde[23]». La
Nouvelle-France entre ainsi dans un chapitre de
l'épopée chrétienne et trouve sa place désignée dans
la suite du récit dont le début raconte le destin du

---

20. «L'histoire de Mère Marie de l'Incarnation», *Dictionnaire des œuvres littéraires du Québec*, tome I, p. 320.

21. *Histoire de la Mère Marie de l'Incarnation, première supérieure des Ursulines de la Nouvelle-France, précédée d'une esquisse sur l'histoire religieuse des premiers temps de cette colonie*, Québec, G.-E. Desbarats, 1864, p. 31.

22. Rohrbacher est un disciple de Félicité de Lamennais. Son *Histoire universelle de l'Église catholique*, dont la première édition finit de paraître en 1849, comprend 29 volumes qui sont cités par Mgr Laflèche, entre autres. Selon Jacques Gadille, «on ne saurait exagérer l'influence qu'elle exerça (...) puisqu'elle connaîtra trois éditions du vivant de l'auteur — chiffre qui quintuplera après sa mort!» L'immense ouvrage brosse une fresque historique de l'autorité des papes «préfigurée par celle des patriarches, des rois et des prophètes de l'Ancien Testament». («L'ultramontanisme canadien-français», dans *Les ultramontains canadiens-français*, Jean Hamelin et Nive Voisine (dir.), Montréal, Boréal, 1985, p. 30.)

23. *Histoire de la Mère Marie de l'Incarnation*, p. 12.

peuple élu. Rectifiant le texte sulpicien en remplaçant la métaphore humaniste par la métaphore biblique, l'abbé Casgrain s'en écarte encore sur un point: il présente Samuel de Champlain en «père de la patrie», faisant du fondateur de Québec une figure patriarcale qui organise la colonie naissante comme une communauté monacale, alors que les sulpiciens «montréalistes» ont toujours situé le berceau du pays à Ville-Marie.

Quelque soin qu'il mette à montrer la piété exemplaire et le courage guerrier (les deux aspects sont indissociables) des colons fondateurs, l'abbé Casgrain déplace cependant l'accent de l'historiographie cléricale en marquant plus nettement le passage de la conversion des Indiens à la formation chrétienne d'une nouvelle nation missionnaire. Aux yeux de ses prédécesseurs, la tâche apostolique des martyrs suffisait à justifier l'entreprise coloniale. «Toutefois, écrit Casgrain, l'histoire de l'apostolat indien ne révèle qu'un côté du plan divin dans la fondation de la Nouvelle-France. Ce n'est, pour ainsi dire, que le rayonnement de la pensée providentielle qui présidait à la naissance d'une nation chrétienne[24].» Les indigènes ayant refusé le message évangélique de leurs convertisseurs, ils se sont ainsi révélés indignes de recevoir l'héritage de la parole en s'égarant définitivement hors du chemin de l'histoire qui se confond ici avec la Révélation du texte

---

24. *Ibid.*, p. 50.

de vérité. En cela s'accomplissait la vocation d'une «société façonnée par la main de Dieu»:

> La Providence ne bâtissait pas sur eux (les Indiens) l'avenir de sa nouvelle Église. Elle ne faisait que glaner, en passant, sa gerbe d'élus au milieu de ces races aborigènes destinées à s'éteindre peu à peu. À côté d'elles, grandissait la colonie canadienne, héritière future de leurs dépouilles, et dont elle surveillait la mâle éducation[25].

L'ambition hégémonique de cette entreprise discursive se dissimule mal derrière le choix des mots, l'auteur n'hésitant pas à parler des fondateurs comme de «*conquérants pacifiques* qui ramèneront *sous le joug* du catholicisme les peuples égarés du Nouveau-Monde[26]». La plume de Casgrain se signale d'ailleurs principalement par ses ressources stylistiques, systématisant le recours aux images bibliques pour bien marquer l'élection providentielle du Canada français: «Israël, au désert, marchait à la lumière de la colonne de feu: — la Croix, cette autre colonne lumineuse, guida toujours nos pères au désert du Nouveau-Monde[27].» Faisant jouer constamment la référence au texte sacré, Casgrain s'emploie à lier fortement, au moyen de formules percutantes, les aspects historiques et religieux de sa narration: «La mission de la France américaine est la même, sur ce continent, que celle de la France européenne sur l'autre hémisphère[28].» C'est à des textes comme

---

25. *Ibid.*, p. 54.
26. *Ibid.*, p. 68-69. C'est moi qui souligne.
27. I*bid.*, p. 15.
28. *Ibid.*, p. 68.

celui-là que pensait l'historien Michel Brunet lorsqu'il écrivait, à la fin des années 1950:

> À l'époque du romantisme canadien, toute une école d'historiens, d'essayistes, de poètes et de littérateurs, dont l'influence se prolonge jusqu'à nos jours, expliqua doctement que les Canadiens français avaient des innéités particulières, qu'ils n'étaient pas comme les autres hommes, qu'ils avaient un destin spécial en terre d'Amérique... (...) Les anciens porte-parole de la société canadienne-française s'étaient laissé égarer par un nationalisme romantique et messianique[29].

C'est en 1866, année où il est nommé coadjuteur de Mgr Cooke à l'évêché de Trois-Rivières, que l'abbé Louis-François Laflèche publie *Quelques considérations sur les rapports de la société civile avec la religion et la famille*[30]. L'auteur est sur le point de devenir évêque de Trois-Rivières (il en aura le titre en 1870). Partout où il est passé, l'abbé Laflèche a toujours franchi rapidement les étapes conduisant aux postes clefs. Missionnaire au Manitoba, il devient en 1850 le bras droit de Mgr Taché. Revenu pour soigner une santé chancelante, il enseigne au séminaire de Nicolet, son *alma mater*, de 1856 à 1859, date où on le nomme supérieur de l'institution. Le profil de carrière, comme on dirait aujourd'hui, révèle un travailleur acharné, taillé pour l'exercice du pou-

29. «Trois dominantes de la pensée canadienne-française: l'agriculturisme, l'anti étatisme et le messianisme», dans *La présence anglaise et les Canadiens*, Montréal, Beauchemin, 1964, p. 117-118 et 161.

30. Montréal, Eusèbe Senécal, 1866, 268 pages.

voir. André Labarrère-Paulé écrit de lui qu'«il aime dominer et supporte mal la contradiction[31]». L'œuvre et surtout l'influence de l'homme, sont considérables, ce que le père Lejeune résume laconiquement en disant que «l'évêque a beaucoup prêché et beaucoup écrit[32]». Mais le voici aussi tel que le voyait, au soir de sa carrière, un chroniqueur libéral dans cet anti-éloge funèbre du prélat qui avait fait trembler tout le pays:

> Son repaire était Trois-Rivières, ce Santiago canadien où l'on trouve plus de chanoines, plus de congrégations, plus d'exploitation mesquine de la religion du Christ, mais en même temps moins d'industries, moins de liberté de penser et d'agir que partout ailleurs, sans oublier le Paraguay d'antan. (...) Le défunt a été nommé évêque à une époque où l'ultramontanisme était puissant partout: en France, ici et à Rome. C'était un Bourget bourgettant. Son élévation au trône épiscopal fut l'un des points de départ de cette ère d'indifférentisme religieux si répandu aujourd'hui. L'extrême a amené l'extrême. Comme autrefois les papes guerriers, il brandissait le crucifix comme si c'eût été un glaive. Il meublait les pauvres enfants de la nature d'images sombres. Il se montrait autoritaire comme un évêque espagnol, et si vous avez lu ses lettres d'alors, vous remarquerez que sa meilleure narration est une description d'une bataille[33].

---

31. *Louis-François Laflèche*, Montréal, Fides («Classiques canadiens»), 1970, p. 7.
32. *Dictionnaire général du Canada*, tome II, Université d'Ottawa, 1931, p. 28-29.
33. «Monseigneur Laflèche», dans *Les contemporains*, tome 2, Montréal, A. Filiatreault, 1898-1899, p. 106, 108-109. Le pseudonyme de Vieux-Rouge cache le nom de Pierre A.-J. Voyer.

Se réclamant d'Aristote, de saint Thomas et de Joseph de Maistre, Mgr Laflèche est un idéologue important du messianisme canadien-français. Reprenant le schème de l'abbé Casgrain, l'auteur des *Considérations* y va beaucoup plus rondement et pose tout net que l'Évangile autorise toutes les missions conquérantes: le sang des martyrs dépossède légitimement les infidèles au profit de la nation missionnaire qui reçoit ainsi ses titres de nouvel occupant.

> Puisque nous sommes une nation, nous avons donc une patrie; cette patrie, c'est la terre que nous ont léguée nos pères, la belle et riche vallée du Saint-Laurent. C'est la Providence elle-même qui l'a donnée à nos pères, en récompense de leur zèle à travailler à la conversion des pauvres infidèles qui en étaient les premiers occupants, et que, dans ses jugements épouvantables, Dieu a fait disparaître de ce sol comme la neige au retour du soleil du printemps[34].

Voulant livrer un exposé complet de son système de pensée, Mgr Laflèche s'appuie sur les liens organiques entre la famille et la nation, et soutient que la monarchie tempérée est le gouvernement le plus parfait, puisque son modèle se trouve réalisé à la fois par la structure de la famille, par l'organisation du peuple chrétien dans l'Église et par l'exemple surnaturel de la divine Providence. Il importe encore ici de situer le contenu de ce discours dans le contexte et l'*horizon d'attente* de son temps. À cet égard, on peut relever dans le titre du

---

34. *Quelques considérations*, p. 59-61.

livre de Laflèche une référence non voilée à une œuvre de jeunesse de Lamennais: *De la religion considérée dans ses rapports avec l'ordre politique et civil* (1824). L'auteur des *Paroles d'un croyant* (1834) figure en bonne place dans les bibliothèques de presbytères en tant que prophète moderne du libéralisme catholique. Comme le lecteur contemporain de Rameau et de Casgrain, celui de Laflèche et de Lamennais ne fait pas que lire l'énoncé de la mission providentielle du peuple canadien-français; il inclut plutôt cette idée à l'intérieur d'une actualité historicisée par tout un réseau de références. Le sens réactionnaire de ces écrits n'est pas nécessairement évident dans le système sémantique dominant des années 1860. D'ailleurs, les auteurs de l'époque ne sont pas plus naïfs que nous et assument leurs partis pris idéologiques. Philippe Masson écrit sans ironie dans une brochure parue en 1875:

> Au point de vue du mouvement religieux dans le monde, rétrograder c'est avancer. L'époque des croisades était plus chrétienne que la nôtre. Quant à nous personnellement, nous pourrons être tenus peut-être pour rétrograder plus que de raison, vu que nous nous proposons bien sérieusement d'aller jusque dans le Paradis terrestre chercher des renseignements sur l'origine de la société, et compulser le code des lois que Dieu lui a imposées[35].

Ce raisonnement s'inscrit parfaitement dans la tradition de la littérature française catholique depuis Bossuet, Joseph de Maistre et Chateaubriand jusqu'à

---

35. *Le Canada-Français et la Providence*, Québec, 1875, p. 16.

Louis Veuillot. Le messianisme canadien nourri de cette pensée puise à une source patriarcale et guerrière (le «code des lois» s'inspirant de «l'époque des croisades» qui «était plus chrétienne que la nôtre»), que tout un espace intertextuel laisse ici deviner. «Rétrograder c'est avancer», parce que, comme l'écrivait Bossuet, «Dieu n'a donné à Moïse qu'un seul peuple, et un temps déterminé: tous les siècles et tous les peuples du monde sont donnés à Jésus-Christ: il a ses élus partout, et son Église, répandue dans tout l'univers, ne cessera jamais de les enfanter[36]».

Une médiation institutionnelle intervient aussi pour assurer la diffusion du texte. Il convient de noter que les articles réunis dans les *Considérations* de Laflèche ont d'abord paru dans le *Journal de Trois-Rivières*, organe de l'évêché. L'édition en volume se fait aussitôt après par souscription. L'imprimerie se passe ici complètement de la librairie et le public visé est par définition compris dans les maillons de l'organisation pastorale. La circulation de la prose cléricale n'est pas laissée au hasard, comme le rappelle l'historien Nive Voisine:

> Ce qui prouve davantage l'accueil que font les autorités religieuses à l'œuvre de l'abbé Laflèche, c'est le nombre de souscriptions qui sont envoyées à l'éditeur avant même l'édition de l'ouvrage: au-delà de 3500 exemplaires sont ainsi commandés, dont 2289 pour le diocèse de

---

36. Bossuet, *Discours sur l'histoire universelle*, dans *Oeuvres de Bossuet*, Paris, Gallimard («Bibliothèque de la Pléiade»), 1961, p. 853-854.

Trois-Rivières et 472 pour celui de Québec. Les souscripteurs sont surtout des professeurs de collège et des curés: il n'est donc pas surprenant que la diffusion du livre se fasse surtout par l'intermédiaire des bibliothèques collégiales et paroissiales et qu'on en recommande la lecture dans les grands séminaires jusqu'au début du XXe siècle[37].

L'institution religieuse boucle le circuit de production et de consommation du livre, et l'influence du pouvoir religieux dispose d'un canal de promotion ou d'un droit de censure, le cas échéant. Il en résulte que la pensée de Mgr Laflèche fait école, ce que d'innombrables citations confirment, sous des plumes laïques aussi bien que cléricales, tout au long de la période qui nous intéresse. «Ce sera la gloire du corps clérical en ce pays d'avoir identifié la religion avec nos intérêts nationaux», écrit en 1870 Oscar Dunn[38]. David M. Hayne a donc raison de voir dans les *Considérations* la formulation «quasi définitive (de) l'idéologie ultramontaine qui allait dominer au Québec pendant trente ans[39]».

* * *

37. Nive Voisine, dans *Dictionnaire des œuvres littéraires du Québec*, tome I, p. 260.

38. *Pourquoi nous sommes Français*, Montréal, La Minerve, 1870, p. 37.

39. «L'essai au Québec: des origines à la Confédération», dans Paul Wyczynski, François Gallays, Sylvain Simard (dir.), *Archives des lettres canadiennes*, tome VI, *L'essai et la prose d'idées au Québec*, Montréal, Fides, 1985, p. 17.

De Philippe Masson, autre idéologue de la mission canadienne-française, on ne sait pas aujourd'hui beaucoup plus que ce qu'il écrit de lui-même dans l'avertissement «au public» placé au début de son livre *Le Canada-Français et la Providence* publié en 1875. Il y affirme sa foi «dans l'avenir de notre race», sentiment qui s'est éveillé chez lui «sur les bancs classiques du Petit-Séminaire de Québec». Sa brochure reprend une série d'articles d'abord parus dans le *Courrier du Canada* [40] en 1872 sous le titre «L'avenir». La publication en volume s'est faite aussi par souscription et l'auteur affirme avoir écoulé par ce moyen 2000 exemplaires de son livre. Il présente celui-ci comme une illustration didactique du caractère missionnaire du peuple canadien-français, qui pour lui ne fait aucun doute.

Masson développe sa thèse en trois points. Dans la première partie, il se demande si les peuples, comme les individus, sont justiciables des jugements de la Providence. La deuxième partie, qui part de la réponse affirmative proposée en conclusion de la première, examine l'évolution historique du Canada français pour confirmer la vocation providentielle sans laquelle celui-ci était voué à la disparition. La troisième partie précise la nature religieuse du

---

40. Elzéar Lavoie écrit que Philippe Masson, alors jeune étudiant en droit, pose en 1875 sa candidature au poste de rédacteur en chef du *Courrier du Canada*. Mais il n'obtient pas le poste convoité et on le retrouve libraire à Québec en 1882. («Les crises au *Courrier du Canada*», dans *Les ultramontains canadiens-français*, p. 153 et 158.)

destin national. La discussion s'emploie à réfuter le XVIIIᵉ siècle philosophique. Toutes les époques, explique l'auteur, ont connu des révoltes contre l'autorité, mais seul l'esprit des Lumières s'en est pris au principe même de l'ordre social en substituant la notion de contrat libre fondé sur la raison individuelle au pouvoir légitime qui est de droit divin. Les spéculations de Rousseau sur l'état de nature opposé à l'état de civilisation ont conduit à la postulation d'une raison naturelle à l'origine du progrès historique. Contre cette erreur philosophique, Masson réaffirme le dogme du péché originel sans lequel on ne peut pas comprendre «la véritable origine de la société civilisée[41]». Reprenant le schéma posé dans les *Considérations* de Laflèche, il fait de la famille, en l'occurrence celle d'Adam et Ève, le principe fondateur de la société. La lignée d'Abraham montre l'origine des peuples et, à la question «un peuple a-t-il comme peuple des devoirs à accomplir envers Dieu[42]», il répond par l'affirmative.

Discutant la thèse du Bon Sauvage qui invite l'Europe au retour à l'état de nature, Masson s'applique à la réfuter parce que le projet missionnaire de la Nouvelle-France s'en trouverait, sinon, hypothéqué. Si les Indiens ne sont pas des races à convertir, des âmes à sauver, les prêtres et les guerriers qui les ont pourchassés n'étaient donc pas des héros

---

41. *Le Canada-Français et la Providence*, Québec, 1875, p. 16.
42. *Ibid.*, p. 11.

guidés par la main de Dieu. Mais le point crucial de l'argumentation de Masson touche la question suivante: «Dieu a-t-il protégé d'une manière spéciale le Canada français[43]?» L'histoire, une fois de plus sommée de répondre, montre que les glorieuses luttes parlementaires de nos ancêtres, sous le régime britannique, prouvent l'élection divine de la nation franco-canadienne. Enfin, la conclusion découle logiquement de la question soulevée dans la troisième partie: «Quel a été le but de la Providence en nous conservant sur ce sol d'Amérique[44]?» Même abrégée, la réponse est connue: «La Providence (...) veut que nous donnions en Amérique cet exemple, rare aujourd'hui dans le monde, d'une race, d'une nation sur laquelle le Christ règne socialement[45].»

Le programme social du règne chrétien consiste donc à lire la réalité contemporaine sur le modèle d'un passé transmis par la tradition. La visée historique de l'ancien empire colonial de la France en Amérique fait intégralement partie du projet national canadien-français. Notons cependant qu'il s'agit là d'un idéal aux contours assez vagues et non pas d'un programme politique précis, car le clergé, qui reste le maître d'œuvre de ce réveil national, se méfie de l'État comme d'un rival. Le mépris de la politique et la soumission des hommes d'État à ce credo patriotique, au-dessus de tout enjeu partisan,

---

43. *Ibid.*, p. 25.
44. *Ibid.*, p. 6.
45. *Ibid.*, p. 49.

sont des objectifs avoués du nationalisme ultra-montain[46]. L'exemple du «Programme catholique» de 1871, rédigé dans l'entourage de Mgr Laflèche et qui allait diviser les forces conservatrices, en est une illustration convaincante. Mais on parlait déjà, une douzaine d'années plus tôt, de faire de la Société Saint-Jean-Baptiste[47] une sorte de bras séculier du nationalisme clérical. Dans *La France aux colonies*, Rameau voyait dans cette association patriotique le moyen de regrouper moralement et d'organiser politiquement les émigrés canadiens-français disper-sés aux États-Unis. Un peu plus tard, au cours des années 1880, alors que l'émigration prendra des proportions alarmantes, Mgr Laflèche ébauchera lui-même les structures pyramidales de la Société Saint-Jean-Baptiste jusqu'à lui donner la forme et la pompe d'un pseudo-gouvernement.

---

46. Joseph de Maistre (1753-1821), écrivain, philosophe et homme politique français, écrivait : «Il faut qu'il y ait une religion de l'État comme une politique de l'État, ou, plutôt, il faut que les dogmes religieux et politiques mêlés et confondus forment ensemble une raison universelle ou nationale assez forte pour réprimer les aberra-tions de la raison individuelle qui est, de sa nature, l'ennemie mor-telle de toute association quelconque, parce qu'elle ne produit que des opinions divergentes. (...) Le gouvernement est une véritable religion: il a ses dogmes, ses mystères, ses ministres; l'anéantir ou le soumettre à la discussion de chaque individu, c'est la même chose; il ne vit que par la raison nationale, c'est-à-dire par la foi politique qui est un symbole» (*Du pape et extraits d'autres œuvres*, Paris, Pauvert, 1957, p. 166).

47. Fondée en 1844, au plus sombre de la période dépressive provoquée par le nouveau régime du Canada-Uni, la Société Saint-Jean-Baptiste n'était d'abord qu'une organisation patriotique.

Cela se passe lors des cérémonies annuelles du 24 juin, affublées du titre de Conventions nationales et tenues assez souvent dans des États américains où se concentrent les émigrés. À la Convention nationale de 1881, par exemple, l'évêque de Trois-Rivières soumet un plan de regroupement panaméricain de toutes les sociétés diocésaines où se laisse voir le concept d'un État mixte — civil et paroissial — par lequel l'Église réaliserait son ambition de juguler les pouvoirs temporels. Mais le projet n'aura pas de suites politiques et les sociétés Saint-Jean-Baptiste deviendront plutôt une sorte d'école d'éloquence où fleurira abondamment la rhétorique messianique. En 1882, dans un de ces discours prononcés devant la Convention du Massachusetts, à Lowell, Joseph Taché s'écrie:

> Nous, Canadiens, avons appris à rêver autre chose que d'ajouter quelques étoiles au drapeau constellé. Nous plaçons nos aspirations plus haut. *Altius tendimus.* Au lieu d'ambitionner un rôle effacé dans votre république, nous voulons devenir une grande nation au nord de ce continent. (...) Oui, nous voulons fonder une nationalité nouvelle, une civilisation plus avancée que la vôtre, une civilisation pétrie de l'esprit chrétien[48].

Dans le même ordre d'idées, Charles Thibault, auteur d'un *Rapport sur les Canadiens des États-Unis,* compte la pauvreté de ses compatriotes au nombre des «causes apparentes» de leur exode, mais il ajoute: «Dieu qui tire le bien du mal se sert-il de ces

---

48. *Aux Canadiens français émigrés,* Ottawa, Imprimerie du Canada, 1883, p. 9.

moyens pour pousser nos compatriotes vers des régions étrangères? Notre mission n'est-elle pas de porter les bienfaits de notre foi au milieu des nations qui sans cela ne la connaîtraient pas[49]?»

Le juge Adolphe-Basile Routhier exerça une influence considérable au cours de cette période importante pour l'idée étudiée ici. Auteur des vers de l'hymne «Ô Canada», il ne manqua pas de décorations et d'honneurs. Écrivain prolifique et orateur recherché, il publia une douzaine de livres. Une vive polémique l'opposa à son condisciple et vieil ami, le poète Louis Fréchette, à la suite de la publication en 1871 des *Causeries du dimanche* où il critiquait deux recueils de vers de ce dernier (*Mes loisirs* et *La voix d'un exilé*). En réponse, Fréchette publia en 1872 ses *Lettres à Basile*. Le juge Routhier a aussi signé des écrits journalistiques du pseudonyme de Jean Pique-fort. Dans un discours daté du 24 juin 1880 et intitulé «Le rôle de la race française au Canada», il développe un thème devenu familier:

> Parcourez l'histoire avec l'œil scrutateur du philosophe chrétien, et vous verrez la main de Dieu planant à certaines époques au-dessus de l'humanité, y choisissant un homme entre des milliers, le touchant à la tête ou au cœur comme pour lui conférer un sacrement, et lui inspirant une mission supérieure, ou le sacrant chef d'une race glorieuse. (...) Messieurs, les pères de la nationalité canadienne-française ont été de ces élus de la Providence. Comme le prophète Ézéchiel, ils ont un jour senti l'esprit de Dieu qui les soulevait et les emportait de

49. Dans H.J.J.-B. Chouinard (dir.), *Fête nationale des Canadiens français*, Québec, A.Côté et Cie, 1881, p. 441.

la terre de France vers les exilés des bords du Saint-Laurent! Comme Abraham, père du peuple juif[50]...

* * *

Parmi ces vibrants appels au recommencement d'une histoire qui s'achève de toute évidence, au milieu de ces imprécations qui voudraient ranimer les grandes figures fondatrices, le Canada français se donne l'un de ses héros les plus pathétiques dans la personne du curé Labelle. Parce qu'il s'est trouvé personnellement au point de convergence d'une telle projection collective, nourrie d'attentes populaires et de discours enflammés, ce prêtre a un moment incarné le personnage du Messie dans l'aventure nationale de la fin du XIXᵉ siècle.

Sa popularité a été son arme principale, mais les moyens nécessaires à la démesure de son entreprise lui ont fait défaut. S'identifiant aux siens corps et âme, il a eu le désir de les sauver, mais pas seulement en paroles ni dans le Royaume promis aux «damnés de la terre» (pour employer anachroniquement une expression empruntée au langage de la décolonisation). Au contraire, Antoine Labelle a porté sur ses larges épaules[51] l'humiliante condition de ses compatriotes et voulu restaurer leur fierté déchue. Sous-ministre de la colonisation dans le cabinet Mercier, il a pris sur lui de reconquérir un

50. *Conférences et discours*, 1ᵉʳᵉ série, Montréal, C.O. Beauchemin et Fils, 1889, p. 40-41.

51. La tradition lui prête le poids légendaire de 333 livres et de nombreux exploits physiques à la mesure de sa stature colossale.

pays dépossédé, et l'importance de son œuvre se mesure directement à son échec, c'est-à-dire à la taille de l'ennemi qu'il a trouvé sur son chemin. Les pouvoirs d'argent qu'il s'efforçait de rallier à ses objectifs étaient déjà engagés dans la construction d'un autre Canada, et avaient mieux à faire que de développer les ressources nordiques pour accueillir des colons canadiens-français en mal de patrie.

La colonisation des Laurentides, faute de ressources, mime péniblement l'aventure frontalière de l'Ouest du continent. Mais la colonisation des paroisses du Nord n'en constitue pas moins une spectaculaire offensive en matière de politique nationale, quoiqu'elle reste bien décevante par l'écart qui sépare le discours des résultats concrètement obtenus. Et surtout, les moyens mis en œuvre sont dérisoires au regard des objectifs, car celui que l'on acclamait comme le roi du Nord croyait traduire en actes le programme idéologique du messianisme national. Il entrevoyait la formation prochaine d'un État prospère dans cet espace nordique ouvert à l'énergie conquérante d'un peuple conquis. Afin de vaincre l'émigration, il croyait que le nomadisme ancestral des coureurs de bois pouvait être mis au service de la colonisation, que la mobilité de la population pouvait être canalisée vers les terres à mettre en culture. De cette foi raisonnable, le curé Labelle se fit l'«Apôtre».

Sur le plan économique, la colonisation dirigée par le curé de Saint-Jérôme s'efforce d'effectuer le passage difficile de l'autosuffisance à une certaine ouverture de la production sur le monde extérieur de l'échange, en articulant le primaire (agricole) à un secondaire encore très artisanal, fondé sur la technologie mécanique à énergie douce. Le nœud du problème, c'est d'imaginer l'origine d'un capitalisme sans capital, sans la condition préalable de l'accumulation et du profit. La traite des fourrures avait été la seule source d'accumulation de la richesse dans l'économie coloniale, mais l'épopée pelletière était terminée au temps de Jean Rivard et du curé Labelle. Bref, l'utopie de la colonisation prospérait plus dans le roman de la terre que dans le royaume du Nord, mieux dans la fiction qu'au ras des épinettes, et toute la question ressemblait plus à la quadrature du cercle qu'à l'onction rassurante du discours patriarcal.

> À la question: «nous n'avons pas de pays, qu'as-tu à répondre?», il répliquait par: «il faut s'en faire un.» Ce dont il s'agissait au fond, c'était de conquérir nos conquérants. Tout cela devait cependant se faire, comme l'avouait Labelle, «sans le dire ouvertement[52]».

Que fait donc le gros curé légendaire dans son hyperbolique royaume du Nord? Presque à la manière des hommes forts comme Louis Cyr, le curé Labelle remplit avec bonhomie l'emploi de sauveur de la race, rôle qui semble avoir été taillé pour lui. Il fait bien un peu indigène, comme un jeune campagnard frisé sur un char allégorique, comme un saint Jean-Baptiste *redivivus* mais dépourvu d'apparat, une

---

52. Gabriel Dussault, *Le curé Labelle, messianisme, utopie et colonisation au Québec 1850-1900*, Montréal, Hurtubise HMH, 1983, p. 333.

sorte d'incarnation spontanée de l'attente des fou-
les, un gros homme à la fois débonnaire et irritable,
célèbre pour ses colères foudroyantes et la tendresse
castratrice de sa mère, selon l'image familière du
téléroman de Claude-Henri Grignon, *Les belles histoires des pays d'en haut*; en un mot, une force de la
nature à l'instinct vierge, qu'on veut croire redoutable mais qu'on sait au fond inefficace parce
qu'incontrôlée. Et l'aventure aux allures un moment
triomphantes de «l'Apôtre de la colonisation» se
termine dans l'échec le plus complet, la plus déso-
lante déroute, le comble des déboires jamais atteints
par toute la série des désastres militaires et politiques. Le cortège de la misère et de la faim qui
s'éteindra un demi-siècle plus tard dans l'avenir
touristique du P'tit Nord, c'est bien tout ce que l'on
peut imaginer de plus éloigné d'aucune efferves-
cence populaire, de la moindre affirmation libertai-
re. C'est bien un des effets propres à la dynamique
collective du messianisme que de présenter des
renversements subits, des substitutions imprévues et
même des irruptions révolutionnaires, mais la sociologie des mouvements religieux qui s'est penchée
sur le phénomène connaît bien les situations où une
Église s'est présentée au lieu du Royaume attendu.
Dans le cas qui nous occupe, c'est une industrie touristique ou une industrie culturelle qui sont venues
remplacer ce qui devait d'abord être un État national. Et la voix tonitruante du Père ne cachait que
l'implorante misère d'une mère réduite à la men-
dicité par l'indigence de ses enfants.

NAISSANCE D'UNE LITTÉRATURE

Le livre de Gabriel Dussault est précieux de plusieurs façons, en particulier parce qu'il dissipe un malentendu tenace au sujet du mouvement de colonisation du XIXᵉ siècle. C'est un contresens de comprendre le phénomène en le rapportant seulement à l'agriculturisme et de l'englober sans nuance dans l'ensemble du discours dominant. Les traits idéologiques de l'ultramontanisme canadien-français n'épuisent pas le sens de la politique de la colonisation. Il faut même noter d'importantes différences entre les deux. Le refus des techniques et de l'industrie modernes, la supériorité de la campagne sur la ville, la priorité des valeurs rurales autarciques sur la réalité urbaine de la production et de l'échange, tout ce qui caractérise l'idéologie traditionaliste canadienne-française, tout cela est loin de pouvoir s'appliquer en bloc à la description de la colonisation «labellienne». Nullement hostiles au progrès économique et industriel, les établissements de nouveaux colons l'inscrivaient au contraire au premier rang de leurs objectifs. Gabriel Dussault fait du reste remarquer que la cause n'aurait jamais rallié l'appui enthousiaste d'esprits aussi opposés aux idées ultramontaines que Laurent-Olivier David, Louis-Antoine Dessaulles ou Arthur Buies, si elle n'avait été que la duplication de la rhétorique habituelle.

> Pour les classes dirigeantes du Canada français, l'utopie colonisatrice dessinait donc une voie moyenne entre le statu quo et une double révolution dont elle était l'alibi: une révolution nationale qui eût signifié une confrontation avec la première puissance du monde (l'Empire

britannique) et qu'elles étaient impuissantes à faire, et une révolution sociale dont elles ne voulaient pas parce qu'elle eût menacé leurs propres intérêts[53].

* * *

Reprenant maintenant l'ensemble des textes que je viens de lire, ce que je vois surtout dans la création de cet esprit national, c'est la mise en place d'une formation symbolique, c'est la puissance rassemblée de tout un réseau d'images puisées aux sources de la tradition intellectuelle française et du vieux mythe judéo-chrétien, puis ravivées au contact de l'inquiétant «miracle américain». Il en résulte les éléments d'une vaste représentation. La cité sainte, la nouvelle Jérusalem, le peuple élu qui doit y être rassemblé, l'histoire qui l'y conduit sous le signe de la Providence, le travail prophétique des pères fondateurs relayé dans le texte historique par la voix des écrivains et par l'action des héros, l'ennemi menaçant (sous les traits des «infidèles» qui résistèrent aux généreux pionniers des origines, puis sous le masque du géant américain), voilà résumés les lieux communs du récit qui prend forme alors. On aura beau mettre en évidence le jeu des antagonismes sociaux (le clergé contre la petite bourgeoisie), comment ne pas reconnaître dans ce mythe une représentation de la situation collective telle qu'elle est proposée et reçue dans la société canadienne-française au cours de la période étudiée? Mais ce qui

---

53. *Ibid.*, p. 334.

compte, c'est, comme je l'ai dit et comme j'y reviendrai, que cette représentation sous-tend directement la formation de la littérature nationale.

Les premières visions de la nation, telles que proposées dans l'image de la ville mère, Ville-Marie, puis chez les écrivains français et canadiens qui contribuent à l'historiographie naissante, se distinguent par leur caractère féminin. Le Canada français de la grande mission nationale, en effet, apparaît tantôt comme un jeune peuple noblement éduqué par sa mère charnelle et spirituelle, la France catholique (c'est-à-dire la mère patrie), tantôt comme une pucelle protégée par son autre mère, l'Église (j'entends celle de la contre-réforme française[54]). Certes, à la version de Casgrain, féminine, s'oppose celle de Laflèche et de Labelle, essentiellement virile. Mais ce sera la tâche de la littérature que de «féminiser» le contenu patriarcal du messianisme, déplacement inspiré par une volonté d'adaptation, d'appropriation et, dans une certaine mesure, d'affirmation.

Je propose donc de distinguer deux aspects, deux tendances internes du messianisme canadien-français. La première est idéologique et pratique, philosophique et politique: c'est le discours du père incarné par Laflèche et Labelle, et avant tout soucieux de conserver la pureté de la tradition. L'autre est littéraire et morale, didactique et religieuse, en

---

54. Il y a deux France qui s'opposent et s'excluent dans ce débat : la «fille aînée de l'Église» rejette la Révolution régicide dont le Canada a été protégé par la conquête britannique, selon l'exégèse historique pratiquée par la pensée ultramontaine.

un mot maternelle: c'est la voix consolante de l'élection providentielle portée par la légende.

Les deux discours sont historiques, ils se réclament en tout cas de l'histoire, et l'instance institutionnelle qui les supporte est mixte, je veux dire parcourue en même temps par ces deux tendances. L'émigration et la colonisation, le libéralisme et l'ultramontanisme, les bons et les mauvais livres, tout est polarisé comme le roman familial qui oppose le masculin et le féminin dans les représentations du discours messianique. Du point de vue idéologique, il n'y a pas d'hiatus entre les historiens et les écrivains, les laïcs et les clercs, l'avenir et l'origine, ni même entre le père tout-puissant et la mère éplorée. Cette division est amplement recouverte par l'idée de la mission, d'où la littérature canadienne-française tient sa raison d'être, littérature dont on pourrait montrer la dualité qui la fonde, en remontant à ses sources, par exemple françaises, chez Bossuet, Joseph de Maistre et Chateaubriand[55]. De ce modèle originel de type

---

55. «Et qu'il soit encore dit à la gloire de notre religion, que le système représentatif découle en partie des institutions ecclésiastiques, d'abord parce que l'Église en offrait la première image dans ses conciles, composés du Souverain Pontife, des prélats et des députés du bas-clergé. (...) Nous ne devons pas négliger une remarque qui vient à l'appui des faits précédents, et qui prouve que le génie évangélique est éminemment favorable à la liberté. La religion chrétienne établit en dogme l'égalité morale, la seule qu'on puisse prêcher sans bouleverser le monde. (...) Les conseils de l'évangile forment le véritable philosophe et ses préceptes le véritable citoyen» (François-René de Chateaubriand, *Génie du christianisme*, vol. 2, Paris, Garnier-Flammarion, 1966, p. 235-236).

patriarcal, la littérature des légendes canadiennes a su tirer un texte adouci, peut-être un verbe mutilé, pour traduire la voix suppliante et féminine de la conscience nationale. Ce déplacement est très sensible lorsqu'on aborde l'œuvre de l'abbé Casgrain.

plusieurs la littérature des... ... et grandioses...
... il y avait une ... ... pendant un vain... ...
... plan graduel ... ... de l'espoir... ... de ... ...
... considérée ... ...
... lui-même... ... île ... de l'aube ... ...

l'abbé Casgrain

2

Le texte national

Après les soldats de l'épée sont venus les soldats de la plume; car il fallut se défendre contre les injustices des hommes civilisés comme on s'était défendu contre la férocité des hordes sauvages (...). C'est dans la presse, dans les feuilles éphémères, les brochures fugitives que notre littérature eut son berceau, berceau tristement agité par la politique, et qui n'entendit pas les doux chants de la paix, mais les plaintes et les invectives du persécuté.

PAMPHILE LEMAY,
«La littérature canadienne-française
et sa mission»

«Le libéralisme, écrit Georges Burdeau, a succédé à l'absolutisme comme celui-ci succéda à la chrétienté médiévale[1].» Ce qui est vrai dans le contexte européen change parfois de sens et de signe en traversant l'Atlantique. Au Canada français, c'est plutôt l'ultramontanisme qui succède au libéralisme, ou, en tout cas, l'époque de Bourget et de Casgrain qui

---

1. *Le libéralisme*, Paris, Seuil («Points», n° 96), 1979, p. 122.

succède à celle de Papineau et de Garneau. Le romantisme politique européen comporte maintes dimensions et les idées démocratiques et libérales s'y confondent souvent avec le traditionalisme ethnocentrique. Le messianisme canadien-français s'est nourri presque exclusivement des arguments historiques et religieux produits par ce grand courant. Il importe cependant de distinguer deux nationalismes qui représentent deux lectures différentes de l'histoire, comme nous y invite René Rémond:

> Si le nationalisme issu de la Révolution est plus tourné vers l'universel, l'historicisme met l'accent sur la singularité des destinées nationales, l'affirmation de la diversité; et il propose aux peuples de retourner à leur passé, de cultiver leurs particularismes, d'exalter leur spécificité. Ce second courant est étroitement lié à la redécouverte du passé, notamment sous l'influence du romantisme. À l'universalisme abstrait de la Révolution, il oppose les particularités concrètes des passés nationaux, à l'abstraction rationaliste et géométrique de la Révolution, l'instinct, le sentiment et la sensibilité. Puisant dans la connaissance du passé et le culte des traditions, il se définit par l'histoire, la langue, la religion[2].

Ce nationalisme d'inspiration romantique consiste à confisquer les pouvoirs de l'esprit d'examen au profit, non pas de la Révélation, mais de l'Histoire élevée au rang de nouveau texte sacré. Tel est l'essentiel des thèses d'un Mgr Laflèche, d'un abbé Casgrain, voire d'un Philippe Masson comme de

---

2. *Introduction à l'histoire de notre temps 2. Le XIXe siècle 1815-1914*, Paris, Seuil («Points», n° 113), 1974, p. 181.

leurs mentors européens tels que Rameau et Marmier, ainsi qu'on vient de le voir au précédent chapitre. Cette pensée occupe donc rapidement le devant de la scène intellectuelle au Canada français vers le milieu du XIXᵉ siècle. Il est aussi dans la logique de cette tendance que la composante culturelle et identitaire du nationalisme l'emporte sur la composante universelle et politique, ce qui explique en bonne partie que la littérature ait tôt fait de devenir la pièce maîtresse de son programme, avec mission de refléter l'âme profonde du peuple, son génie naturel retrouvé aux sources de la tradition orale, aux portes de la légende, «les grandes ombres de l'histoire répercutées dans la naïve mémoire du peuple[3]», selon le mot de l'abbé Casgrain.

Voilà bien «l'instinct, le sentiment et la sensibilité», pour reprendre ceux de René Rémond. Mais ces mots, ici, ne s'opposent pas seulement à «l'universalisme abstrait de la Révolution»; ils traduisent sur le mode féminin, c'est-à-dire moderne et romantique, la voix d'airain de la Parole divine; ils adoucissent celle-ci d'une chaleur humaine, où s'exprime la reconnaissance et l'appartenance canadienne. Le prospectus des *Soirées canadiennes,* la première revue littéraire du Canada français fondée en 1860, propose de «soustraire nos belles légendes à un oubli dont elles sont plus que jamais menacées, (...) per-

---

3. Henri-Raymond Casgrain, préface de la première édition des *Légendes canadiennes* dans *Œuvres complètes*, tome I, Montréal, Beauchemin et Fils, 1896, p. 9.

pétuer ainsi les souvenirs conservés dans la mémoire de nos vieux narrateurs[4]»... De 1856 à 1859, l'abbé Casgrain voyage en France. Il «retient de son séjour à Paris, écrit Jean Éthier-Blais, surtout l'œuvre de Charles Nodier, l'utilisation des contes populaires dans un contexte littéraire, enfin, la nécessité de grouper les écrivains dans un Cénacle[5]».

Pourtant, l'image de l'abbé Casgrain posant en «père des lettres canadiennes», ainsi que le répètent les manuels dont le prototype resta longtemps celui de Mgr Camille Roy, est trop candide. Ce que cache cette «posture», c'est peut-être l'imposture, justement, c'est-à-dire le fait que ce sont plutôt les tenants laïques du versant universaliste et libéral de l'idée nationale qui ont été les premiers promoteurs de la littérature canadienne-française de 1840 à 1850, avant d'être neutralisés par le climat de censure et de quasi-unanimité idéologique que l'ultramontanisme va réussir à instaurer à partir de 1860. La littérature aura ainsi servi le combat du clergé contre la petite bourgeoisie héritière des idées de Papineau. Une fois les rouges maîtrisés, marginalisés ou réduits au silence, l'Église se retourne rapidement pour hâter la formation d'une institution littéraire sur des principes plus conformes à son romantisme à elle, c'est-à-dire au messianisme national.

Oui, nous aurons une littérature indigène, ayant son cachet propre, original, portant vivement l'empreinte de

---

4. *Ibid.*, p. 7.
5. «Les pionniers de la critique», *Revue d'histoire littéraire de la France*, 69e année, n° 5, septembre-octobre 1969, p. 797.

notre peuple, en un mot, une littérature nationale. On peut même prévoir d'avance quel sera le caractère de cette littérature. (...) Elle sera essentiellement croyante et religieuse. (...) C'est sa seule condition d'être; elle n'a pas d'autre raison d'existence; pas plus que notre peuple n'a de principe de vie sans religion, sans foi; du jour où il cesserait de croire, il cesserait d'exister. Incarnation de sa pensée, verbe de son intelligence, la littérature suivra ses destinées[6].

En s'identifiant ainsi totalement à l'idéologie qui la porte et qu'elle a pour fonction de reproduire, la littérature nationale selon Casgrain reçoit en partage les attributs constitutifs de la grande idée qui la fonde. Cela ne va pas sans conséquences. Le contenu culturel de la mission risque d'englober à son tour le contenu religieux, et le messie de la collectivité de se déplacer du prêtre vers l'écrivain élevé au rang d'interprète de la nation. Le royaume attendu se colore d'utopie intellectuelle, d'humanisme illuminé.

Oui, messieurs, notre littérature, elle est bien à nous; et nous avons droit d'en être fiers. C'est elle, en grande partie, qui nous a sauvés dans le passé; c'est elle qui nous fera grands dans l'avenir. (...) Comptez les nations dont le nom est resté inscrit dans l'histoire de l'humanité, et qui, encore aujourd'hui, éclairent de leurs lumières la marche du monde moderne. Toutes ont été des nations lettrées. Car les lettres et les arts sont la plus haute expression de la vraie civilisation[7].

6. Henri-Raymond Casgrain, *Œuvres complètes*, tome I, p. 375.
7. Napoléon Legendre, «À propos de notre littérature nationale», *Mémoires de la Société Royale du Canada*, seconde série 1895-6, extraits du vol. I, chez J. Durie et Son, Ottawa – The Copp-Clark Co., Toronto – Bernard Quaritch, Londres, 1895, p. 69.

Ces propos de Napoléon Legendre, tenus à la fin du siècle, ne font que reprendre le lieu commun énoncé déjà par Casgrain puis repris par tant d'autres après lui. Ainsi, le poète Pamphile LeMay déclarait en 1880:

> Aujourd'hui, je ne sais quelle flamme s'est allumée dans nos esprits, quel souffle a passé sur nos fronts, quel besoin de s'épancher ont éprouvé nos cœurs, que nous voilà tout à coup transformés en un peuple d'écrivains. (...) Les œuvres littéraires éclosent comme les papillons dans les chauds effluves du printemps[8].

On pourrait multiplier à volonté ce genre de déclarations. J'y ajouterai seulement une autre citation de l'incontournable abbé Casgrain qui établit clairement le nouveau prestige de la profession d'écrivain dans la conjoncture de l'époque:

> Honorons l'héroïque fondateur, le défricheur intrépide, les hardis pionniers qui ont fait notre patrie si riche et si belle; c'est un devoir sacré. Mais n'oublions pas le savant modeste, l'archéologue laborieux, ces travailleurs sans trêve, qui nous ont fait connaître leur noble histoire, qui l'ont conservée pour l'avenir. Ils sont les fondateurs de la patrie intellectuelle, comme les premiers sont les défricheurs de nos forêts[9].

Du coup le réveil littéraire orchestré par Casgrain peut se réclamer d'une inspiration «moderne» que n'aurait pas désavouée le mouvement des idées

---

8. Dans H.-J. J.-B. Chouinard (dir.), *Fête nationale des Canadiens-français*, Québec, A. Côté et Cie, 1891, p. 379.

9. «Biographie de Georges-Bartélémi Faribault», dans H.-R. Casgrain, *Biographies canadiennes*, Québec, C. Darveau, 1875, p. 50.

en Europe. C'est du moins ce que l'auteur des *Légendes canadiennes* se plaît à répliquer à ceux qui lui reprochent son penchant pour le romantisme:

> À cette objection, nous répondons que ce qu'il y a de plus caractéristique et de plus original dans l'école romantique, a été recueilli par des écrivains d'une parfaite orthodoxie, que l'auteur croit avoir étudiés à fond. Il suffit de citer entre autres M. Louis Veuillot, le cardinal Wiseman, Victor de Laprade, Hippolyte Violeau, le savant et pieux légendaire Collin de Plancy, etc., etc. (...) Est-ce à une époque comme la nôtre, où on ne cesse de jeter à la face du clergé les épithètes de rétrograde, d'obscurantiste, qu'on lui ferait un reproche de ne pas se tenir en dehors du mouvement littéraire, le plus grand levier peut-être du monde moderne[10].

---

10. Henri-Raymond Casgrain, *Œuvres complètes*, tome I, p. 11. Il est sans doute intéressant de relever les noms des auteurs cités ici par l'abbé Casgrain pour comprendre son acception du romantisme.

Louis Veuillot (1813-1883), journaliste catholique français, fut collaborateur puis rédacteur en chef de *L'Univers* dont il fit un organe puissant au service du parti ultramontain. Il défendit âprement l'infaillibilité pontificale dont le dogme fut promulgué en 1870.

Nicholas Patrick Wiseman (1802-1865) est un prélat, un érudit et un écrivain britannique qui fut recteur du collège anglais de Rome et archevêque de Westminster; il publia en 1854 un roman qui connut un extraordinaire succès populaire: *Fabiola ou l'Église des catacombes.*

Victor Richard de Laprade (1812-1883) est un écrivain français d'inspiration lamartinienne qui publia *Les parfums de la Madeleine* (1839), *La colère de Jésus* (1840) ainsi que *Psyché* (1841), légende spiritualiste.

Hippolyte Violeau (1818-1892), poète et romancier breton, reçut quelques mots d'encouragement de Chateaubriand pour ses premiers vers, *Mes loisirs*, écrits à l'âge de vingt-deux ans. Louis Veuillot en préfaça la troisième édition avec enthousiasme et devint son ami. Plusieurs titres de Violeau semblent suggérer une influence sur les fondateurs des *Soirées canadiennes* et du *Foyer canadien*: *Veillées bretonnes* (1854-1855); *Récits du foyer* (1860); *Soirées d'hiver* (1861).

Jacques Collin, dit de Plancy (1793-1881), écrivain anticlérical

Il convient de rappeler ici que deux tendances rivales coexistaient au sein du groupe fondateur des *Soirées canadiennes*, où un Joseph-Charles Taché pouvait défendre, contre le point de vue de l'abbé Casgrain, une conception plus conservatrice (si c'est possible!) de la littérature nationale.

> Nous sommes nés, comme peuple, du catholicisme du XVII⁰ siècle et de nos luttes avec une nature sauvage et indomptée, nous ne sommes point fils de la révolution et nous n'avons pas besoin des expédients du romantisme moderne pour intéresser des esprits qui croient et des cœurs encore purs. Notre langage national doit donc être comme un écho de la saine littérature française d'autrefois, répercuté par nos montagnes, aux bords de nos lacs et de nos rivières, dans les mystérieuses profondeurs de nos grands bois[11].

converti, neveu de Danton; auteur du *Dictionnaire infernal* (1818), du *Diable peint par lui-même* (1819) et du *Dictionnaire historique et critique des athées, des libres penseurs, des hérétiques et de quelques autres déserteurs de la foi* (1870).

La conception du romantisme que se fait Casgrain diffère certainement de ce que l'histoire littéraire a retenu de cette école et elle diffère probablement de ce que les contemporains de Casgrain plaçaient sous l'étiquette de romantisme. Un extrait de la correspondance avec le poète Octave Crémazie permet de mesurer facilement cet écart: «Puisque dans nos collèges on nous fait bien apprendre des passages de Voltaire, pourquoi ne donneriez-vous pas à vos abonnés ce qui peut se lire des œuvres de maîtres tels que Hugo, Musset, Gautier, Sainte-Beuve, Guizot, Mérimée, etc.? Ne vaut-il pas mieux faire sucer à vos lecteurs la moelle des lions que celle des lièvres?» (Octave Crémazie, lettre du 29 janvier 1867 à l'abbé Henri-Raymond Casgrain, dans *Anthologie de la littérature québécoise*, volume II: *La Patrie littéraire*, Gilles Marcotte et René Dionne (dir.), Montréal, La Presse, 1978, p. 262). Crémazie conteste ici le choix d'un texte du vicomte Walsh publié dans une livraison du *Foyer canadien* de Québec.

11. Joseph-Charles Taché, *Trois légendes de mon pays*, Montréal, C.O. Beauchemin et Valois, 1871, p. 28-29.

Ce débat — qui ne fut d'ailleurs pas étranger à l'éclatement des *Soirées canadiennes* et à la fondation du *Foyer canadien* en 1864 — est déjà un signe avant-coureur de la longue querelle du régionalisme qui s'étendra sur presque toute la première moitié du XXᵉ siècle canadien-français. Mais de part et d'autre on s'accorde à reconnaître à la littérature une importance jusque-là réservée à la religion. C'est sans doute que quelque chose n'est pas tout à fait disparu de l'influence des rouges des années 1840 et 1850. Le compte rendu qu'Edmond Lareau fait en 1877 du prospectus du journal libéral *Le Pays* (fondé en 1852) forme l'exacte antithèse de ce qu'on vient de lire sous la plume conservatrice de Taché:

> Le prospectus est un long plaidoyer en faveur de la démocratie. L'écrivain commence à établir que les institutions démocratiques sont en rapport avec les instincts de l'homme. Dans toutes les luttes de l'humanité on retrouve le même sentiment de dignité qui pousse l'homme à la recherche de l'égalité des conditions, ce qui est l'essentiel de la démocratie. C'est là *un fait universel, providentiel, durable*. (...) (La démocratie) ... n'est pas un parti, (...) elle est la fin de l'homme sur terre; c'est *l'état de l'homme rendu à lui-même* en ne subissant d'autres lois que celles de la vertu et du respect d'autrui et de lui-même[12].

Aussi tout le monde admet-il que la littérature nationale a pris son essor à ce moment-là, c'est-à-dire bien avant 1860; l'abbé Casgrain est lui-même le

---

12. Edmond Lareau, *Mélanges historiques et littéraires*, Montréal, Senécal, 1877, p. 37. L'écrivain en question est, selon toute probabilité, Louis-Antoine Dessaulles, rédacteur du *Pays* en 1852.

premier à en faire état. Il écrit en 1866 dans son texte déjà cité sur «Le mouvement littéraire au Canada»:

> On n'a pas assez remarqué la coïncidence de ce progrès littéraire avec l'ère de liberté qui succédait, à la même époque, au régime oligarchique dont le despotisme avait amené les sanglantes journées de 1837 et 38, et d'où sont sorties toutes nos libertés constitutionnelles. L'ébranlement imprimé alors aux intelligences avait été merveilleusement secondé par ces conquêtes politiques[13].

Quinze ans plus tard, Benjamin Sulte, dans un «Rapport sur les lettres» rédigé pour les célébrations de la fête nationale de 1880, reprend une observation devenue incontestable:

> Durant les luttes politiques, commencées avec le siècle et qui ont abouti, vers 1850, au gouvernement responsable, plusieurs écrivains de mérite se sont formés. Ils défendaient une cause qui les a rendus chers à notre peuple[14].

Il importe donc de prendre la juste mesure de la stature d'un abbé Casgrain, qui se trouve, par rapport à la littérature nationale, dans une position analogue à celle du curé Labelle quelque vingt ans plus tard, ou de Mgr Laflèche à la même époque. Ces hommes d'Église qui sont avant tout des hommes d'action sont en mesure de doubler leur discours d'une pratique qui touche tous les aspects de la société, par la médiation d'un complexe institution-

---

13. H.- R. Casgrain, *Œuvres complètes*, tome I, p. 354.
14. Dans H.-J. J.-B. Chouinard (dir.), *Fête nationale des Canadiens français*, Québec, A. Côté et Cie, 1891, p. 414.

nel qui va de l'école à l'imprimerie, de la famille à la paroisse. Qu'il s'agisse de politique, de littérature, d'éducation ou de religion, le fonctionnement concret des interactions socioculturelles confère un rayonnement maximal à leur action, décuplée par le monopole idéologique exercé au nom du nationalisme dont ils se réclament explicitement. C'est donc avec raison que David M. Hayne peut écrire que «l'âge de Garneau fut suivi de l'âge de Casgrain; le jeune romantisme se rangea, et un romantisme officiel et national le remplaça. (...) Le mouvement de 1860 comporterait non seulement une initiative, mais une réforme[15].»

Dans sa typologie des messianismes, Jean Baechler évoque la situation classique d'une de ses catégories socio-historiques comme suit:

> Le dernier sous-type est très particulier. Il intervient dans un état d'absence ou de lâcheté des liens sociaux, dans des zones ou des périodes de peuplement sporadique, loin des centres d'organisation politique. (...) Les messies ont ici un rôle très intéressant de législateurs à l'antique. Après une période d'errance plus ou moins longue, ils finissent par se fixer et par créer une Ville Sainte avec leur peuple[16].

On songe, bien sûr, aux campagnes de colonisation, au curé Labelle et à son archétype littéraire, Jean Rivard. Mais on peut aussi transposer le tout sur le plan culturel avec le mouvement littéraire de 1860

---

15. «Sur les traces du préromantisme canadien», dans *Archives des lettres canadiennes*, tome I, p. 8 et 27.

16. *Les phénomènes révolutionnaires*, Paris, PUF, 1970, p. 111.

et comprendre ce dernier comme un épisode de nomadisme intellectuel qui fonde la littérature pour ainsi dire en plein désert, hors frontières, sur un terrain aussi peu fertile que ces régions nordiques dont allait s'éprendre le curé de Saint-Jérôme. Le mot d'ordre des *Soirées canadiennes* emprunté à Charles Nodier («Hâtons-nous de raconter les délicieuses histoires du peuple avant qu'il les ait oubliées[17]») et qui incite les écrivains à recueillir contes et légendes populaires, à puiser leur inspiration dans la tradition orale, cette stratégie n'ouvre-t-elle pas en réalité une période d'errance au terme de laquelle Edmond de Nevers apercevra finalement une république fondée sur la culture et le rayonnement intellectuel, une petite Athènes nordique annoncée dans les pages de *L'avenir du peuple canadien-français* [18]?

À mesure que se développe l'institution littéraire pour actualiser le texte national, la littérature s'isole de plus en plus des conditions requises par

---

17. Le texte exact de la citation de Nodier est le suivant: «Hâtons-nous d'écouter les délicieuses histoires du peuple avant qu'il les ait oubliées, avant qu'il en ait rougi, et que sa chaste poésie, honteuse d'être nue, se soit couverte d'un voile comme Ève exilée du Paradis» («La Légende de Sœur Béatrix», *Revue de Paris*, oct. 1837). Réjean Robidoux a relevé l'erreur de l'épigraphe des *Soirées canadiennes* et retracé le texte intégral de Nodier dans «Les *Soirées canadiennes* et le *Foyer canadien* dans le mouvement littéraire québécois de 1860», *Revue de l'Université d'Ottawa*, oct.-déc. 1958, p. 419-420, note 17.

18. Paris, Henri Jouve, 1896, 441 pages. Réédité: Montréal, Fides («Nénuphar»), 1964, 332 pages. Voir l'article de François Ricard, «Edmond de Nevers: essai de biographie conjecturale», dans *L'essai et la prose d'idées au Québec*, Montréal, Fides («Archives des lettres canadiennes», tome VI), 1985, p. 347-366.

une éventuelle création symbolique et par l'émergence d'une œuvre originale. Le système de références mis en place par le messianisme bloque toute liberté de lecture et de perception de la réalité, de sorte que la nouvelle Rome ou la nouvelle Jérusalem, pour mieux dire, devrait surgir littéralement dans un désert mental, produit par la seule prédication prophétique de ses idéologues. La teneur mythique de ce discours s'hypertrophie en rhétorique et traduit seulement le leadership moral d'un groupe de définisseurs de situation qui réussit à imposer sa vision à la structure sociale. La mission, en l'occurrence, équivaut à la reproduction fantasmée des origines historiques du pouvoir clérical, qui s'efforce de substituer son propre passé à celui d'un peuple encore sans mémoire écrite. En d'autres mots, tout se passe comme si l'Église canadienne-française empruntait au double horizon du christianisme primitif et du romantisme contemporain le texte national qu'elle lègue aux descendants d'une aventure coloniale française avortée en 1760 et qui sont maintenant privés d'histoire.

L'opération peut se faire de bonne foi, car l'Église canadienne-française est alors en pleine expansion et à même de produire les grands acteurs sociaux et de constituer les institutions essentielles à la nation. Bien peu de politiciens, en effet, ont joui d'un crédit populaire comparable à celui des évêques Laflèche et Bourget ou du curé Labelle entre 1850 et 1890. Ce n'est donc pas sans quelque raison que ce transfert du religieux au national a pu se produire: c'est que le clergé contrôle effectivement les rouages embryonnaires d'un État dans l'État. C'est dire aussi que la littérature nationale représente l'ébauche politique d'une conscience collective qui n'ose encore s'avouer clairement et qui recouvre sa puissance virtuelle d'un passé mythique pour refouler la carrière historique qui menace son avenir.

Le poète exilé Octave Crémazie a certainement été le premier à nuancer de ses réticences l'enthousiasme avec lequel un abbé Casgrain affirmait la possibilité de créer une littérature canadienne-française. Dans sa correspondance avec ce dernier, il écrit, en 1866:

> Dans les œuvres que vous appréciez, vous saluez l'aurore d'une littérature nationale. Puisse votre espoir se réaliser bientôt! Dans ce milieu presque toujours indifférent, quelquefois même hostile, où se trouvent placés en Canada ceux qui ont le courage de se livrer aux travaux de l'intelligence, je crains bien que cette époque glorieuse que vous appelez de tous vos vœux ne soit encore bien éloignée[19].

Les raisons qui inspirent une telle réserve au poète épistolier sont encore plus intéressantes que sa réaction elle-même plutôt modérée. Crémazie développe assez longuement dans cette correspondance un point de vue extrêmement hardi si on le situe cor-

---

19. Octave Crémazie, lettre du 10 avril 1866 à l'abbé Henri-Raymond Casgrain, dans *Anthologie de la littérature québécoise*, vol. II: *La Patrie littéraire* (Gilles Marcotte et René Dionne, dir.), Montréal, La Presse, 1978, p. 254.

rectement dans le contexte de son époque. Ce sont en effet les conditions matérielles de l'activité intellectuelle ainsi que le manque de réceptivité du public qui rendent prématuré, à ses yeux, le projet de fonder une littérature nationale. Crémazie s'écarte donc des considérations idéologiques, auxquelles seules s'intéresse son correspondant, pour soulever des problèmes qui sont absolument exclus du débat au sein duquel apparaît l'idée patriotique de la promotion de cette littérature: prix des livres, revenu des écrivains, marché local et européen du produit littéraire canadien, langue d'expression. Selon lui, il est illusoire de penser à promouvoir des œuvres de qualité sans assurer en même temps une saine rentabilité au commerce du livre, seul moyen de proposer des conditions de travail acceptables à l'écrivain:

> Vous avez fondé une revue que vous donnez presque pour rien. C'est très beau pour les lecteurs. Ne pensez-vous pas que si l'on s'occupait un peu plus de ceux qui *produisent* et un peu moins de ceux qui *consomment*, la littérature canadienne ne s'en porterait que mieux? (...) Vous savez ce que valent les concerts d'amateurs: c'est quelquefois joli, ce n'est jamais beau. (...) La littérature d'amateurs ne vaut guère mieux que la musique d'amateurs[20].

* * *

---

20. I*bid.*, p. 255.

En 1876, J.O. Fontaine publie le texte d'une conférence prononcée devant l'Institut canadien de Québec: *Essai sur le mauvais goût dans la littérature canadienne*[21]. S'en prenant aux Alcippe et aux Oronte de son temps, l'auteur dénonce un pédantisme selon lui largement répandu et qui porte le moindre «poétereau» à se trouver digne de l'estime du pays tout entier. Il attaque surtout la fatuité des écrivains, leur négligence, leur mépris du travail et des règles de l'art. L'opuscule se termine par un vibrant plaidoyer en faveur des anciens contre les modernes, où l'auteur se fait fort de faire changer de camp le conteur Perrault, dans la célèbre querelle, pour le réconcilier avec le grand Despréaux! Cela rappelle la remarque malicieuse de Jean Éthier-Blais: «Fait paradoxal, les pays sans littérature ne sont pas nécessairement des pays sans critique[22].»

La critique littéraire de l'époque a principalement pour fonction de veiller à l'orthodoxie des textes et de faire en sorte que les idées qui définissent la littérature nationale soient effectivement mises en œuvre dans la production courante. Il est intéressant de voir combien certains mots sont alors chargés d'un sens fluctuant; c'est le cas, par exemple, du mot romantisme. Pour J.O. Fontaine, il désigne le responsable de tous les maux. Les descriptions de Gautier et de Balzac sont des exemples de mauvais

---

21. Québec, Des presses du *Canadien*, 1876, 16 pages.
22. «Les pionniers de la critique», *Revue d'histoire littéraire de la France*, 69e année, n° 5, sept.-oct. 1969, p. 795.

goût dont il importe de préserver la littérature canadienne-française. La règle classique, par contre, doit être érigée en modèle: «Quiconque étudie la sagesse des nations primitives ou modernes retrouve partout les mêmes vérités, les mêmes idées générales[23].» Le conférencier développe ensuite le principe selon lequel «la littérature est l'expression de la société[24]», ce qui veut dire que les âges où la paix et le bonheur règnent produisent des œuvres classiques, alors que l'affaissement des mœurs et de la discipline engendrent le désordre en art comme en politique.

La critique littéraire de l'époque témoigne en outre de ce que l'homme de lettres profite d'une sorte de promotion qui n'est certainement pas étrangère au succès de l'entreprise de l'abbé Casgrain. Dans *Nos hommes de lettres*[25], Louis-Michel Darveau écrit que la mémoire du peuple devra plus, à l'avenir, à ses écrivains qu'à tous ses guerriers. L'auteur fait à ses compatriotes le devoir d'honorer ceux qui les représentent devant le tribunal de la postérité. De même, Benjamin Sulte félicite le gouvernement provincial, en 1880, d'avoir pris l'initiative d'offrir des ouvrages canadiens en prix dans les écoles[26] et

---

23. *Essai sur le mauvais goût dans la littérature canadienne*, p. 14.
24. *Ibid.*, p. 15.
25. Montréal, A. A. Stevenson, 1873, vol. I (seul paru), 276 pages.
26. Le maître d'œuvre de cette politique est encore l'abbé Casgrain, qui s'est vu confier en 1876 un programme d'édition d'auteurs canadiens destiné aux prix scolaires. Voir Réjean Robidoux, «Fortunes et infortunes de l'abbé Casgrain», dans *Archives des lettres canadiennes*, tome I, Éditions de l'Université d'Ottawa, 1960, p. 79-99.

souhaite que cette politique non seulement se maintienne, mais qu'elle se développe.

La prise en charge de la littérature par le messianisme national ne cesse de progresser et de rallier les auteurs les plus prestigieux. Selon Pamphile Le May, la mission des écrivains canadiens-français, «c'est le progrès; et le progrès c'est la marche de l'humanité vers Dieu[27]». Les nations juive et française sont, selon l'auteur, les exemples qui guident le destin canadien-français dans l'accomplissement du salut universel. Un sous-récit mythique informe la naissance de la littérature nationale, sous-récit que Gabriel Dussault résume dans ces termes:

> Nous, Canadiens français catholiques, nation catholique française, sommes le peuple élu de Dieu, choisi par lui pour travailler à l'extension de son Royaume et implanter la vérité au milieu des populations infidèles qui nous entourent. Par nos mains se perpétuent les «Gesta Dei per Francos», et nous sommes donc les héritiers des promesses jadis faites à l'Église et auparavant à Israël[28].

La société canadienne-française de la fin du XIXe siècle a réalisé une sorte d'unanimité intellectuelle et sociale qui laisse de moins en moins de place à l'expression de voix discordantes. Il se trouve pourtant quelques francs-tireurs, rares disciples des libéraux de jadis, qui font figure de trouble-fête mais

---

27. Dans H.-J. J.-B. Chouinard (dir.), *Fête nationale des Canadiens français*, p. 381.

28. «Dimensions messianiques du catholicisme québécois au XIXe siècle», *Thèmes canadiens*, Ottawa, Association des études canadiennes, 1985, p. 66.

sont de plus en plus isolés. Un Arthur Buies critiquant l'état de la langue parlée et écrite (*Anglicismes et canadianismes* [29]), un Louis Fréchette attaquant le système d'éducation des collèges classiques (*À propos d'éducation* [30]), tels sont à peu près les seuls sifflets qui se font entendre dans l'ovation que s'offrent les élites à elles-mêmes, mimant grossièrement l'acclamation populaire.

«Le Canadien, écrit Arthur Buies, a une horreur singulière pour toute expression nette et claire de la pensée (...). Il en résulte que l'art, en une matière quelconque, n'existe point; il n'y a que du métier[31].» Cette incapacité des écrivains à maîtriser la langue, Buies l'impute à la contamination de l'anglais. Le journalisme, la magistrature, les institutions politiques, tout invite à la traduction approximative, et la négligence généralisée qui en résulte est responsable de la langue médiocre des Canadiens français. Le polémiste inaugure une longue tradition littéraire de variations sur le thème linguistique lorsqu'il écrit: «Mon Dieu! Mon Dieu! Et dire que j'aime mon peuple, et que je crois à l'avenir d'une race comme celle-là[32].»

Incarnant jusqu'à l'excès la mauvaise conscience d'une époque bien-pensante, Arthur Buies poursuit avec acharnement les objectifs que s'étaient fixés ses aînés de la génération précédente, les fon-

---

29. Québec, C. Darveau, 1888, 108 pages.
30. Montréal, Désaulniers, 1893, 91 pages.
31. *Anglicismes et canadianismes*, p. 74-75.
32. *Ibid.*, p. 36.

dateurs de l'Institut canadien de Montréal. Son écriture passionnée porte les thèses du «rougisme» à leur plus haut point d'expression et répond aux pompeux éloges de la mission intellectuelle des siens par l'impitoyable tableau des difficultés à surmonter pour créer une œuvre dans un contexte intellectuel aussi ingrat. Pays sans livres, sans tradition écrite, sans public averti, sans éducation propice à la culture, dominé par une faction qui se méfie des idées modernes, le Canada français des conditions objectives n'est décidément pas le même que celui de la mission providentielle. Tempérant de zones d'ombres l'optimisme béat de ses contemporains, Buies invoque un autre sens de l'histoire, méconnu de ses interlocuteurs. *La Lanterne*[33] de sa jeunesse s'était donné pour tâche de répandre les Lumières dans nos campagnes. Pamphlétaire et disciple de Garibaldi alors que les évêques canadiens levaient des régiments de zouaves pontificaux, Buies croit à la science et au progrès avec la même ardeur que ses adversaires croient au destin providentiel de la nation:

> Arracher les hommes à l'imposture, rejeter dans la nuit les oiseaux de proie, relever les caractères déchus, sauver enfin tout un peuple d'une ignominie sans nom et de l'abîme fangeux où l'entraîne sa décadence, voilà qui est digne d'être tenté, voilà qui peut être et qui est plus grand, et comme tout ce qui est grand, ne s'élève que par la souffrance[34].

---

33. Journal anticlérical rédigé et distribué par Arthur Buies du 17 septembre 1868 au 18 mars 1869.

34. Extrait de *La Lanterne* cité par Laurent Mailhot, *Anthologie d'Arthur Buies*, Montréal, HMH («Cahiers du Québec», n° 37), 1978, p. 160.

Il va droit au cœur de la question quand il critique
le grand projet de fonder une littérature nationale:

> Nous donnons ce spectacle unique, parmi les peuples
> éclairés, d'un peuple qui ne renferme pas de «classe»
> instruite. (...) Et l'on prétendra que c'est dans un milieu
> pareil qu'il peut exister une littérature nationale[35]!

L'amertume de Buies fait écho, à vingt-cinq ans
d'intervalle, aux récriminations qu'Octave Crémazie
opposait déjà, en 1866, au zèle de l'abbé Casgrain:

> Nous n'avons malheureusement qu'une société d'*épiciers*.
> J'appelle *épicier* tout homme qui n'a d'autre savoir que
> celui qui lui est nécessaire pour gagner sa vie, car pour lui
> la science est un outil, rien de plus. (...) Avec ces
> hommes, vous ferez de bons pères de famille, ayant toutes
> les vertus d'une épitaphe; vous aurez des échevins, des
> marguilliers, des membres du parlement, voire même des
> ministres, mais vous ne parviendrez jamais à créer une
> société littéraire, artistique, et je dirai même patriotique,
> dans la belle et grande acception du mot[36].

* * *

Ce rappel trop rapide des contours idéologiques de
la littérature canadienne-française à sa naissance
permet tout de même quelques observations. En
premier lieu, le projet littéraire de 1860 y révèle sa

---

35. *Les jeunes barbares* (1892), cité par Laurent Mailhot,
Anthologie d'Arthur Buies, p. 198.

36. Octave Crémazie, lettre du 10 août 1866 à l'abbé Henri-
Raymond Casgrain, dans *Anthologie de la littérature québécoise*, vol. II: *La
Patrie littéraire* (Gilles Marcotte et René Dionne, dir.), Montréal, La
Presse, 1978, p. 258-259. La correspondance du poète exilé Octave
Crémazie avec l'abbé Casgrain est plus qu'instructive sur le même
sujet. Voir Gilles Marcotte, «Institution et courants d'air», *Liberté*, n°
134, mars-avril 1981, p. 5-14.

caractéristique principale, qui est la récupération conservatrice du «rougisme» des années 1840 et 1850. On pourrait même dire que la mission de la littérature, telle que formulée entre 1860 et 1890, se lit déjà comme une version intériorisée de la volonté de reconquête exprimée par le nationalisme offensif de l'époque de Garneau[37]. Quoi qu'il en soit, en passant du message patriotique à la pratique littéraire, l'idéal paraît entraîner une modification décisive du discours qui le porte. L'étude détaillée du corpus des légendes canadiennes, qui représente le modèle proposé aux écrivains de 1860, nous éclaire sur la signification de cette modification. On y constate l'homogénéité et la cohérence du discours sur la littérature nationale au cours de cette période, monolithisme témoignant de l'autorité institutionnelle qui prend alors le projet littéraire en charge. Mais la pratique de cette doctrine est-elle fidèle à son contenu? Que racontent les œuvres produites au nom du texte national?

---

37. Au tournant du XXe siècle, tout de suite après la période qui nous occupe, l'œuvre d'Edmond de Nevers donnera à la thèse du messianisme littéraire son expression la plus achevée. François Ricard résume ainsi la pensée de l'essayiste: «Il faut faire de la culture, du travail culturel, notre première préoccupation et notre premier objectif, et il faut substituer à l'élite politique actuelle une nouvelle élite composée d'intellectuels, d'artistes et de savants formés en Europe ou sur le modèle européen, et qui deviendraient les véritables héros de la nation, succédant ainsi au soldat, au laboureur et au parlementaire, qui furent les héros successifs des périodes antérieures de notre histoire» («Edmond de Nevers: essai de biographie conjecturale», dans *L'essai et la prose d'idées au Québec*, Montréal, Fides, «Archives des lettres canadiennes», tome VI, 1985, p. 357).

3

Le mythe romantique de la patrie littéraire

Ah! si j'étais peintre, je voudrais retracer sur la toile cette noble figure avec son triple caractère de Prêtre, de Laboureur et de Soldat.

HENRI-RAYMOND CASGRAIN
«Le Pionnier canadien»

Les manifestations idéologiques du messianisme canadien-français décrites jusqu'ici dessinent une courbe générale qui va de la genèse du nationalisme au projet de créer une littérature nationale. Or le parcours entre le contexte socio-culturel et la production esthétique n'est pas rectiligne. Des médiations complexes relaient le discours religieux dans l'ensemble de la culture et dans la littérature en particulier. En effectuant une première appropriation du romantisme pour l'acclimater au milieu et au «goût» canadiens-français, la mode des légendes populaires constitue, me semble-t-il, un aspect important de la poétique du texte national. Ce corpus de légendes forme en tout cas un répertoire considérable dans la production littéraire de l'époque. Joseph-Charles Taché et l'abbé Casgrain sont sans doute les deux écrivains les plus importants à étudier dans cette perspective.

L'exploitation de la légende traverse plusieurs genres littéraires. On trouve des légendes versifiées comme *Jude et Grazia ou les malheurs de l'émigration canadienne* (1861) de Louis-Joseph-Cyprien Fiset; *La légende d'un peuple* (1890) de Louis Fréchette ambitionne d'élever le genre au niveau de l'épopée; des récits courts en prose poursuivent la mode des *Légendes canadiennes* lancée par l'abbé Casgrain: Benjamin Sulte, Napoléon Legendre, Charles de Guise, Alphonse Lusignan, Honoré Beaugrand, Pamphile LeMay, Edmond Lareau, Faucher de Saint-Maurice, Louis Fréchette, ont tous transposé des légendes populaires en contes écrits; on trouve enfin des romans qui intègrent la légende à leur trame narrative (*Le chercheur de trésors ou l'influence d'un livre*; *Les anciens Canadiens*; *Jeanne la fileuse*).

L'une des fonctions essentielles de la légende semble être d'endiguer la popularité du roman moderne entaché de laxisme moral et de réalisme social. Au lieu de prolonger l'influence de ce genre jugé dangereux à maints égards, les écrivains canadiens-français sont invités à traduire la simplicité et la pureté de l'imagination populaire, reflet direct de la beauté des mœurs traditionnelles. Mais il y a aussi le fait que la légende appelle, plus qu'aucune autre forme, la mise en valeur d'un héros messianique: le sauveur ou le père du peuple en est le foyer constant. Dans cette perspective, l'abbé Casgrain s'impose encore, non seulement parce qu'il fournit à la fois l'illustration pratique et la justification doctrinale d'une prose narrative dont ses *Légendes canadiennes* veulent répandre le modèle, mais aussi parce que toute la conjoncture que j'ai tenté de décrire dans les premiers chapitres de cet essai contribue à la représentation globale du texte national en forme de légende dorée. «Pour Casgrain, écrit Laurence Bisson, il s'agit de réconcilier d'une façon absolue le romantisme avec le catholicisme; de fabriquer un romantisme à l'usage des fidèles[1].» C'est assez bien définir la conception de la légende dans la poétique de l'abbé Casgrain qui affectionne l'image du paysage grandiose des Laurentides reflété par le miroir déformant des eaux du fleuve: «Telle est l'image que nous nous formons de la Légende: c'est le mirage du passé dans le flot impressionnable de l'imagination populaire[2].» Il y a là un fonds de tendresse et de piété qui imprègne curieusement de maternelle sollicitude un patriotisme qui se voudrait tourné vers l'autorité du héros fondateur.

---

1. *Le romantisme littéraire au Canada français*, Paris, Droz, 1932, p. 143.

2. Préface des *Légendes canadiennes*, dans *Œuvres complètes*, tome III, Québec, C. Darveau, 1875, p. 6. Toutes les références à cet ouvrage dans le présent chapitre seront faites par le numéro de page entre parenthèses, donné immédiatement après la citation.

Dans les *Légendes canadiennes*, l'abbé Casgrain propose la formule d'une prose édifiante où l'imagination succombe sous le fardeau du discours moralisant. La structure du genre prend appui sur une mythologie de l'enfance qui confond l'origine de la nation avec les souvenirs intimes de l'auteur. Le matin du monde fait rayonner un soleil prophétique sur le berceau de la patrie. Tout ce qui fut autrefois est beau, solennel, sacré, héroïque, sanglant, sublime. C'est un grand drame où les rôles principaux sont tenus par des martyrs, l'action ponctuée par des apparitions, des miracles, des interventions mystérieuses aux conséquences providentielles. L'élément visuel revêt aussi une grande importance dans l'écriture de l'abbé Casgrain. Tableaux, vastes panoramas, descriptions naturelles ou vestimentaires, portraits, tout un décor théâtral, dont l'intention grandiose embarrassera aussi la vision épique de Fréchette dans sa *Légende d'un peuple,* connaît ici sa version prosaïque. Les *Légendes canadiennes* comprennent trois courts récits couvrant 54 pages, incluant la préface qui s'applique à bien faire ressortir que ces textes ont valeur d'illustration de la littérature nationale et qu'ils se rapportent à la doctrine qui la définit, un peu comme des exemples de grammaire adhèrent à la règle dont ils sont l'application. Les récits s'intitulent «Le tableau de la Rivière-Ouelle», «Les pionniers canadiens» et «La jongleuse».

Rivière-Ouelle est, faut-il le rappeler, le village natal de l'auteur. Aussi n'est-ce pas du tout par hasard que la narration secondaire est confiée à la mère du narrateur. Ce trait révèle toute son importance si on le met en rapport avec le motif initial du récit, qui prend sa source dans un petit ex-voto de l'église paroissiale de cette localité. Le tableau n'est pas décrit, sous prétexte qu'il n'a pas de valeur artistique, mais la légende placée dans la bouche de la mère, qui nous apprend l'origine votive de l'image peinte, se développe comme la réplique narrative de l'intention morale du chromo. Nous sommes dans l'univers de la petite enfance enveloppée de mièvrerie. La nation et la littérature y sont ensemble dans les langes. La voix qui porte la légende traduit l'enseignement sacré de l'amour maternel, au double niveau de la structure narrative (le narrateur attribue le récit à sa mère) et de la portée symbolique (l'Église couvre le peuple canadien-français d'un amour protecteur).

La famille est réunie au salon. La mère vient de toucher le piano, la mélancolie «passait sur son front» tel un nuage, et la légende commence après la récitation du chapelet. La mère ouvre son récit par l'évocation d'un missionnaire qui suit en forêt son guide indien: «toute sa figure semble entourée de ce nimbe mystique dont la sainteté illumine les âmes prédestinées» (p. 8). Une aurore boréale dans cette nuit d'hiver complète le décor qui suggère, par exemple, «une troupe de blancs fantômes aux robes diaphanes qui exécutent une danse fantastique», puis «un orgue immense, aux tuyaux de nacre et d'ivoire, qui n'attend plus qu'un céleste musicien pour entonner l'hosanna sublime de la nature au Créateur»

(p. 8). Les deux voyageurs cheminent en raquettes au milieu des spectres. La deuxième partie du récit s'intitule «Apparition». Le guide note un bruit inquiétant que son compagnon attribue au craquement du froid dans les troncs d'arbres, mais l'Indien soupçonne une présence humaine. Un éclairage étudié dévoile bientôt un groupe étrange au regard des voyageurs: un jeune militaire est agenouillé près d'un arbre entre deux cadavres. L'un des deux corps est celui d'un vieillard dont la figure a pris «cette teinte grise, cendrée de la mort, qui annonce déjà que le cercueil le réclame», mais «malgré ces ravages de la mort (...) les derniers vestiges d'un sourire erraient encore sur ses lèvres et indiquaient que l'espoir suprême, que la foi seule peut inspirer, avait consolé sa dernière heure» (p. 9). Le second cadavre est celui d'un guide indien. Le jeune soldat se jette aussitôt dans les bras du missionnaire en disant: «C'est la Providence qui vous amène ici pour me sauver. J'allais partager le funeste sort de mes infortunés compagnons lorsqu'un prodige!... un miracle!» (p. 9) Sur ces mots, il s'évanouit et le missionnaire aidé de son guide ensevelit les deux corps et conduit le survivant dans une maison de la paroisse de Rivière-Ouelle. Suit alors une description du domaine de «l'habitant de nos campagnes» qui ne ressemble en rien à son ancêtre, le paysan de la vieille France, mais qui fait plutôt figure «en comparaison de celui-ci, (de) véritable petit Prince» (p. 9). La suite de l'aventure se récite donc dans ce palais: l'humble toit de l'habitant, héritier naturel de son aïeul défricheur.

L'intérieur de la maison canadienne est esquissé à traits rapides qui replacent, comme sur une maquette, les différents personnages et leurs accessoires: l'enfant dans son ber, le père fumant sa pipe, la mère à sa soupe. La scène évoque l'hospitalité proverbiale du Canadien, telle qu'elle a longtemps été représentée dans les manuels scolaires de mon enfance ou dans les tableaux du peintre saguenéen Arthur Villeneuve. Le militaire tout à l'heure évanoui retrouve l'usage de la parole pour raconter sa mésaventure et la mort de ses deux compagnons. Les ombres menaçantes des Iroquois se concrétisent par endroits en coups de couteaux et en coups de fusils dans ce troisième récit dans le récit (le narrateur — sa mère — le militaire). Bref, les deux soldats (il s'agissait du père et du fils) étaient chargés d'une mission et porteurs d'un message à l'adresse du gouverneur. Leur guide a été victime d'un guerrier ennemi ensuite abattu d'un coup de feu par le jeune homme, si bien que les deux soldats sont restés sans moyen de s'orienter au milieu d'une forêt infestée d'Iroquois. Le vieillard, jouant de malheur, a été fauché par la chute d'une branche qui lui a fait une blessure mortelle à la tête, accident qui occasionna aussi la perte de la boussole à quoi s'ajoutèrent bientôt le manque de nourriture et l'épuisement. Le jeune soldat voit son père mourant le bénir, se faire lire un passage de *L'Imitation,* lui remettre une croix d'or, gage de fidélité à la patrie, enfin lui transmettre le vœu salutaire: faire don d'un tableau à la première église qu'il rencontrera après avoir échappé au péril.

Ainsi s'explique la présence de l'ex-voto dans une chapelle latérale de l'église de Rivière-Ouelle, illustration iconique qui contient le schéma narratif de la légende. L'arrivée du missionnaire et la lumière céleste qui éclaire la scène initiale du jeune militaire agenouillé près des deux corps inertes sont données pour une intervention divine en faveur de l'orphelin en prière consolé par une apparition de la Vierge. La narratrice conclut par cette description de la scène votive offerte par le miraculé à l'église de Rivière-Ouelle: «On y voit de pieuses mères de famille indiquer du doigt les divers personnages, et raconter à leurs petits enfants attentifs la merveilleuse légende; car le souvenir de cette touchante histoire est encore vivant dans toute la contrée» (p. 15). La mère de l'abbé rentre ainsi dans le droit fil de la parole légendaire en transmettant à son tour le message sacré.

Toute la légende est placée sous le signe de la maternité: le choix de la mère de l'auteur comme narratrice; l'ex-voto de l'église paroissiale, image nourricière de l'âme chrétienne; l'apparition de la Vierge qui sauve le malheureux survivant par l'arrivée du missionnaire; enfin la bonne maison canadienne de Rivière-Ouelle, dont la chaleur hospitalière recueille le récit du miraculé. Et cette série édifiante se poursuit indéfiniment au moyen de la légende transmise par la bouche des «pieuses mères de famille», dont le relais oral est représenté avec les acteurs du drame dans le tableau votif. On voit s'établir dans ce réseau une parfaite circularité qui constitue la culture en parole médiatrice dont la voix féminine traduit le logos religieux.

Ce modèle évacue par le fait même l'action positive d'un héros. Il est possible d'identifier une difficulté majeure de la littérature canadienne-française dans cet espace négatif de l'affirmation individuelle, la collectivité occupant tout le champ de l'imaginaire. Collectivité et individu sont ici polarisés par les termes sexuels du féminin et du masculin. Le missionnaire, le soldat, l'Indien ami ou ennemi, tous les personnages sont noyés dans la matrice narrative ou iconique d'une machination céleste, protectrice et féminine. Rien ne peut advenir dans le vecteur viril de l'action ou de la volonté personnelles. L'homme est le jouet d'une Providence affectueuse, ou encore, la Providence est une figure du maternage de la nation. Tout au plus le missionnaire est-il le plus humble exécutant des œuvres compliquées de l'élection providentielle. Qu'est-ce qui empêche l'auteur d'imaginer une personnalité fictive, de faire vivre un personnage, de créer un héros? Poser la question, c'est y répondre: il n'y a pas de place pour la perspective psychologique ou individuelle d'une carrière humaine dans la représentation morale de la patrie, qui est littéralement ici la mère patrie ou, pour mieux dire, la «matrie». L'élément féminin n'est pas la France, c'est la religion, et elle remplit seule tout l'espace symbolique qui préside à la double narration iconique et verbale de la légende.

«Les pionniers canadiens» (on notera le pluriel) raconte une histoire dont l'héroïne est une parente de l'auteur, Thérèse du Perron Baby, fille d'un surintendant du fort de Détroit vers 1770. L'ancienne possession française fut conservée par le Canada britannique jusqu'à la guerre de 1812, date où les Américains s'en emparèrent. Détroit est un poste de traite florissant. La scène se passe dans le jardin de la luxueuse résidence du surintendant, à l'heure du souper. Un jeune officier qui y est invité s'informe des motifs de l'humeur mélancolique de la fille de la maison, Thérèse. Celle-ci entreprend le récit d'un événement survenu la veille, alors qu'une famille de colons a été massacrée par les Iroquois qui ont fait prisonnière la jeune femme du défricheur assassiné. Pendant que les guerriers sanguinaires traitaient une affaire avec le surintendant, Thérèse et sa mère ont recueilli de la bouche de leur prisonnière le récit du massacre de sa famille.

On retrouve encore ici le procédé de l'enchâssement de multiples narrations: le narrateur principal, Thérèse, la prisonnière, l'officier. Cette dernière supplie tour à tour ses bourreaux et ses hôtes de lui rendre la liberté. Le surintendant négocie la chose avec les Iroquois, mais sans succès. Les barbares repartent avec leur victime dont il n'est plus fait mention par la suite. À ce récit qui lui explique la tristesse de la jeune fille, le jeune officier répond en racontant qu'il a lui-même récemment renvoyé un Potowatomis qui marchandait insolemment le prix d'une peau de fourrure. La jeune fille lui fait remarquer l'imprudence de son geste car «un Sauvage n'oublie jamais une injure» (p. 22).

Les jeunes gens prennent congé là-dessus et Thérèse s'inquiète vivement, le lendemain, de l'absence de son père qui s'est éloigné du fort pour quelque affaire. La mère remarque l'angoisse de sa fille et lui en demande la raison. Thérèse raconte un rêve dans lequel la femme du colon (la prisonnière) tend les bras vers un personnage masculin qui n'est pas nommé et dont elle est séparée par un cours d'eau. Certains indices incitent le lecteur à reconnaître l'officier de la veille. La captive, «qui me semblait habiter un monde meilleur» (p. 23), tourne seize (l'âge du militaire?) feuillets d'un livre en adressant ostensiblement son geste à la rêveuse. L'homme appelé par la prisonnière à traverser le torrent veut résister, mais il est emporté dans l'abîme après un dernier regard de désespoir vers Thérèse qui se tient avec la prisonnière sur la rive opposée. Après la disparition de l'homme, la prisonnière montre à la rêveuse une dernière page du livre «qui m'apparut tout dégouttant de sang» (p. 23).

À peine ce récit est-il achevé que l'officier frappe à la porte, blessé et poursuivi par les féroces Iroquois. Madame Baby le cache au grenier. Les agresseurs se présentent alors pour réclamer leur victime. Sans s'émouvoir, la femme forte leur indique une fausse direction. Les Sauvages repartent. Thérèse est hors d'elle-même et son état risque de dénoncer la présence du malheureux soldat si les Iroquois reviennent et la voient dans cet affolement.

De fait, il reparaissent aussitôt et Madame Baby tient tête à la bande dirigée par le Potowatomis précédemment insulté par le militaire imprudent. Le rêve de Thérèse était prémonitoire. Une tache de sang sur le tapis trahit la piste de son ennemi à l'œil scrutateur du guerrier. L'officier au grenier prend peur, risque la fuite en sautant de l'étage et se fait tuer dans le jardin. Le Potowatomis vainqueur barbouille de sang la tête de Madame Baby pour lui apprendre à ne plus mentir à «son frère de la forêt». Depuis lors, une simple croix s'élève à l'emplacement qui vit la mort affreuse du jeune homme et la famille du surintendant y récite chaque soir une prière pour son repos. Quant à Thérèse, elle achève ses jours inconsolables dans la seigneurie de Monsieur de Gaspé, de qui elle est aussi une parente[3]. Le narrateur propose enfin son héroïne en prière comme modèle d'une «statue de la mélancolie»: «La fleur de l'illusion ne croît pas sur les ruines du cœur» (p. 28).

Dans le discours qui précède la narration proprement dite, après avoir cité Charlevoix et Garneau à propos de l'histoire du poste de Détroit, le narrateur déclare que le pionnier vient en second lieu, juste après la «sublime figure du Missionnaire», parmi «les grandes figures qu'offre l'histoire du nouveau monde» (p. 28). L'affabulation qu'on vient

---

3. La famille Baby forme une branche maternelle commune aux de Gaspé et aux Casgrain.

de voir obéit à la même structure que celle du
«Tableau de la Rivière-Ouelle»: c'est l'iconographie
moralisante ou l'imagerie catéchétique qui sous-
tend explicitement tous les épisodes du récit légendaire. L'analyse ne peut que relever les objectifs
avoués de l'auteur, qui d'ailleurs ne fait pas mystère
de ses intentions:

> Ah! si j'étais peintre...
>
> Au fond du tableau, je peindrais l'immense forêt dans
> toute sa sauvage majesté.
>
> Plus près, de blonds épis croissant parmi les troncs
> calcinés.
>
> Sur l'avant-scène un pan de Grand Fleuve avec ses vagues
> d'émeraude aux rayons du soleil.
>
> On verrait d'un côté avec ses remparts et ses palissades,
> l'angle d'un fort d'où surgirait un modeste clocher,
> surmonté de la croix; de l'autre côté, une bande de
> Sauvages fuyant vers la lisière du bois.
>
> Au centre du tableau apparaîtrait, les cheveux au vent, un
> éclair dans les yeux, le front sanglant sillonné d'une balle,
> mon brave pionnier, près de sa charrue, tenant de la
> main gauche son fusil dont la batterie fumerait encore,
> de la main droite, versant l'eau du baptême sur le front
> de son ennemi vaincu et mourant qu'il vient de convertir
> à la foi.
>
> Oh! comme j'essayerais de peindre sur cette mâle figure,
> dans toutes les attitudes de ce soldat laboureur aux
> muscles de fer, et la force calme et sereine de l'homme
> des champs et le courage invincible du soldat et le
> sublime enthousiasme du prêtre. Certes, ce tableau ne
> serait pas indigne du pinceau de Michel-Ange ou de
> Rubens. (p. 17-18)

Mais l'abbé Casgrain a choisi la plume, faute du pinceau rêvé, et il n'y a pas lieu d'insister sur l'écart qui tient la légende écrite à distance de son modèle pictural. Je souligne en passant que tout ce qui est attribué, dans le tableau imaginaire, au type viril du pionnier, se trouve distribué dans la légende entre deux personnages féminins. La femme, par contre, ne figure même pas dans la peinture allégorique qui porte le code moral du récit. Inversement, le rôle héroïque de la «mâle figure» du pionnier s'absente du drame raconté, puisque c'est Madame Baby qui affronte seule la fureur des Sauvages pendant que le surintendant est significativement absent au moment du conflit. Tout au plus compte-t-elle sur le respect que devrait inspirer la fonction de son mari, mais la suite des événements montre bien qu'elle se trompe, que l'administration n'inquiète aucunement l'arrogance vengeresse du Potowatomis et qu'il n'est jamais question de représailles contre lui de la part du surintendant. Loin d'avoir «le front sillonné d'une balle» comme son prototype pictural, le fonctionnaire se contentera de dire une prière quotidienne sur la tombe du soldat et d'exploiter un commerce lucratif.

Le jeune officier martyr incarne-t-il mieux la noble stature du héros? À vrai dire, il ne brille pas autrement qu'en paroles devant la pâleur tremblante de Thérèse, mais dès que l'ennemi menaçant paraît, il court se réfugier entre deux femmes seules au logis. Il est intéressant d'observer le déplacement des acteurs en comparant le tableau idéal à la légende écrite: ainsi les Iroquois ne sont plus «à la lisière du bois», mais leur insolente brutalité a pris pour théâtre la maison même du surintendant. Quant au colon tué du récit de Thérèse, il concentre sur lui un plus grand nombre des vertus caractéristiques du héros: surpris seul dans son champ par des ennemis nombreux et implacables, le brave homme n'a d'issue que dans la mort, mais après une résistance redoutable. Il tombera victime de la ruse de ses ennemis; après qu'il aura abattu un grand nombre d'Iroquois, l'un de ceux-ci le surprendra: «Le serpent ne s'avance pas vers son ennemi avec plus de ruse et d'adresse» (p. 20). Il importe de noter cette métaphore, puisque la partie de la légende qui contient le dénouement s'intitule «Le serpent» et que cet animal satanique y est symboliquement associé à l'Indien.

Voici l'argument de cet épilogue de la légende. Quelques mois après les événements que l'on sait, le Potowatomis revient sur le lieu de son crime pour voler en s'introduisant dans le soupirail d'une dépendance de la maison du surintendant. Par le plus grand des hasards, Thérèse observe la scène de sa fenêtre, la nuit étant éclairée par la pleine lune. Sortant d'une longue prière, la jeune fille reconnaît les traits mémorables du bourreau de l'officier. Le sombre individu est en mauvaise posture: un serpent à sonnette l'attaque dans l'espace enclos où il s'est engagé pour mal faire et d'où il ne peut pas plus s'échapper que se défendre contre la bête. L'agile lutteur repousse plusieurs fois le reptile qui finalement le mord, et le venin l'a déjà condamné quand, fou de rage, il déchire à belles dents le corps visqueux du serpent. Puis il meurt dans d'atroces convulsions. La narration décrit complaisamment l'état du cadavre:

> On crut d'abord qu'il était à la fin parvenu à s'évader; mais plus tard on trouva le cadavre énormément enflé encore pris dans l'ouverture du soupirail.

> Ses yeux injectés de sang étaient sortis de leurs orbites; sa figure était noire comme du charbon, et sa bouche entrouverte laissait voir deux rangées de dents blanches, d'où pendaient encore quelques lambeaux de reptile et des flocons d'écume mêlée de sang.

> La Providence elle-même avait pris soin de venger l'assassinat du jeune officier. (p. 27)

Le corps de l'ennemi, d'abord ravagé par le serpent venimeux, l'est bien davantage par son exposition au regard du lecteur, invité à y voir l'effet de la justice providentielle. Il importe de rappeler que cette conclusion constitue l'épilogue de l'observation silencieuse de la jeune fille dont la narration a suivi le point de vue en racontant cet affrontement du Sauvage et de la Bête. Thérèse jouit-elle discrètement de la profanation du corps qui avait massacré l'officier? Ce qui me semble clair, c'est que l'héroïne spectatrice tient ici la place du lecteur en le justifiant de savourer la défaite surnaturelle de l'ennemi confondu avec le serpent maléfique qui l'a vaincu.

Il y a là un système d'écriture que l'on retrouve dans les trois légendes du recueil et qu'éclaire encore plus crûment le dernier récit du livre: «La Jongleuse». Ce système s'appuie d'ailleurs sur des assises culturelles et idéologiques qui excèdent les limites de la mentalité canadienne-française, comme l'explique l'anthropologue Rémi Savard:

> L'économie même du discours colonial avait appelé, et ce, bien avant la naissance de l'historiographie québécoise, la présence du «Sauvage», ce personnage «sans foi, sans loi, sans roi». Pour se gagner les faveurs de l'évêque de Rome, alors chargé d'arbitrer le partage du Nouveau Monde, les boucaniers européens de la Renaissance se devaient de présenter leurs incartades américaines sous des dehors de croisades. Et pour justifier la prise de possession de terres acquises ni par conquête ni par héritage, il leur fallait clamer que les peuples y végétaient misérablement, ignoraient jusqu'à la notion même de loi. Leur permettre alors de devenir sujets d'un roi ne pouvait que relever de la plus indiscutable des magnanimités. C'est ainsi que le personnage du «Sauvage» est devenu la pierre d'assise de l'idéologie coloniale. Il n'y a donc rien d'étonnant à ce que, dès les premiers balbutiements, l'historiographie québécoise se complaise à nous répéter la liste de ses horribles méfaits; par une sorte de contraste naïf, il importait de faire ressortir la silhouette héroïque des colons, d'occulter leur obstination tout aussi blasphématoire qu'aveugle à violer le grand cercle de la vie américaine. Nos historiens d'ici ont eu la tête en Europe, et surtout à Rome[4].

Chacune des trois légendes remonte chaque fois plus loin dans le passé: «Le tableau de la Rivière-

---

4. Rémi Savard, préface au livre de Donald B. Smith, *Le «Sauvage» pendant la période héroïque de la Nouvelle-France (1534-1663) d'après les historiens canadiens-français des XIXe et XXe siècles*, Montréal, Hurtubise HMH («Cahiers du Québec», n° 49), 1979, p. 1.

Ouelle» maintient un lien avec le présent par la présence de l'ex-voto dans l'église; «Les pionniers canadiens» appartient au siècle précédent; «La Jongleuse» remonte aux premiers temps de la colonie. L'héroïne, Madame Houel, est inspirée à l'abbé Casgrain par un *Mémoire des Récollets présenté au Roi en 1637* (p. 35). Cette jeune femme vient d'apprendre l'état de son mari gravement blessé, sans doute au cours d'une escarmouche iroquoise. Elle part aussitôt le rejoindre avec son fils, un enfant d'une dizaine d'années. La scène du départ fixe l'atmosphère du récit: nous sommes à Québec, «à quelques pas de l'endroit où s'élève la vieille église de la Basse-Ville» (p. 34). Le canot de Madame Houel est éclairé par une lanterne que tient un homme sur la plage. Quatre personnes y ont pris place, mais le premier à découper sa haute silhouette sur le fond de cette nuit d'automne est un robuste chasseur canadien surnommé le Canotier. Son costume, son aspect, son allure font l'objet d'une longue description. Il est posté à l'arrière de l'embarcation, l'avant étant occupé par un Indien lui aussi d'une imposante stature et répondant au nom de Mistitshinépik, c'est-à-dire la Grande-Couleuvre. Le mère et le garçon ont pris place au milieu du canot, qui s'enfonce dans la nuit.

Le silence et l'obscurité remplissent les voyageurs d'une vague inquiétude pendant que la jeune femme contemple le scintillement lointain d'un point lumineux: «C'était la pâle clarté de la lampe du sanctuaire de la vieille église, — holocauste virginal, emblème touchant de l'éternelle prière»

(p. 34). On aura relevé une fois de plus ce jeu d'ombres et de lumières, bien dans le goût de l'amateur de tableaux qui transparaît sous l'écrivain. Mais la lumière contemplée par Madame Houel n'est que le signe d'un feu plus secret: «La prière! invisible vestale qui veille incessamment, une étoile au front, dans le temple sans tache de l'âme pieuse» (p. 35). L'église, la mère, la nuit — triade essentielle du paysage intérieur brossé par la légende au moyen de laquelle l'œuvre de Casgrain s'applique à féminiser le texte national. De Madame Houel à Madame du Perron Baby et à la mère de l'auteur, dans ces trois légendes, c'est par la médiation d'une conscience maternelle que sont organisées toutes les marques du dévouement, du martyre et du sacrifice qui sont les attributs collectifs de la mission nationale.

Le fils de Madame Houel, impressionné par les clairs-obscurs du spectacle nocturne, croit apercevoir la forme blanchâtre d'une grande dame en même temps que son oreille perçoit un appel. Il confie ses craintes à sa mère qui le rassure en attribuant le phénomène aux chutes Montmorency. L'enfant s'endort, mais les deux guides expérimentés avertissent la voyageuse du danger: le garçon ne s'est pas trompé en voyant cette forme diaphane, esprit maléfique que «les Sauvages connaissent sous le nom de Matshi Skouéou, c'est-à-dire la Mauvaise femme ou la Jongleuse» (p. 37). Madame Houel accueille avec sang-froid cette information qu'elle traite de superstition, mais lorsque la parole imagée de la Grande-Couleuvre rapporte la légende de la terrible sorcière, la mère de famille en est un peu ébranlée. La Jongleuse est sensée inspirer les cruautés et les ruses des Iroquois dans la guerre sans merci qu'ils livrent aux braves colons français. Ce qui trouble le plus Madame Houel, c'est que la Dame aux Glaïeuls (autre nom de la sorcière) est capable de s'en prendre à son fils:

> Tapie derrière la verte frange des roseaux, la Dame aux Glaïeuls guette les petits enfants, et ses chants fascinent et entraînent comme le regard du reptile attaché à sa proie.

> Jamais on ne l'a vue de jour.

> On dit que dans les ténèbres ses prunelles d'un vert glauque étincellent comme la braise et que les lueurs sinistres et blafardes qu'elles lancent, fascinent comme le serpent ou l'abîme.

> (...) Elle soulève à chaque pas une poussière d'étincelles bleuâtres qui voltigent autour d'elle, profilant dans l'ombre d'étranges silhouettes. (p. 39)

Ce luxe d'effets visuels forme le pendant infernal de la nuit mystiquement éclairée par la lampe du sanctuaire au départ de Québec, tout comme la figure maléfique de la sorcière s'oppose à l'image sanctifiée de la pieuse mère de famille. Les voyageurs sont bientôt attaqués par l'ennemi, les deux guides se battent courageusement et font échouer une première poursuite, mais la Grande-Couleuvre est blessé et le Canotier s'absente pour chasser, seul moyen d'assurer la subsistance du groupe. À son retour, son compagnon indien a été scalpé et leurs deux protégés, Madame Houel et son fils, ont disparu. Ainsi se termine la première partie du récit.

Un hiatus dans le temps de l'histoire sépare ces événements de leur suite. On revient au lent déroulement des travaux et des saisons dans la campagne canadienne où une maison vertueuse et hospitalière est toujours attentive aux moindres légendes. Deux voyageurs mélancoliques passent par là et sont accueillis par une bonne famille. L'un des deux visiteurs est âgé: c'est le Canotier; l'autre est un jeune homme: c'est le fils Houel. Notons que cela se passe encore à Rivière-Ouelle, où l'enfance de l'auteur continue de se mêler, grâce aux légendes, au passé de la nation.

Le plus jeune voyageur reprend donc le récit au point où lui et sa mère venaient d'être enlevés par les Iroquois. Suit un long voyage en canot au cours duquel la Jongleuse reste invisible tout en réglant secrètement le détail de l'opération. Le narrateur insiste sur le sadisme des bourreaux choisissant le supplice: les guerriers hésitent, explorent différentes approches, étudient la réaction de leurs victimes, et on sent derrière ce stratagème la malice de la Jongleuse qui joue de finesse avec la vertu de Madame Houel. Les tortionnaires trouvent finalement leur coup. Ils inventent une sorte de potence doublée d'un mécanisme à retardement confectionné au moyen d'une branche placée dans les mains de l'enfant, pendant qu'à l'autre extrémité du dispositif, sa mère prie pour la conversion des infidèles et console la douleur de son fils, une corde autour du cou. La branche commande le déclenchement de la pendaison et lorsque le garçon est à bout de forces, sa mère est expédiée dans un monde meilleur. Épuisé par ce rude apprentissage de l'héroïsme, le fils s'évanouit. Les Iroquois poursuivis par le Canotier abandonnent sur place le corps de la mère et l'enfant inconscient. Le Canotier les retrouve, donne sépulture à l'un, porte secours et réconfort à l'autre. Et voilà que les bons habitants de Rivière-Ouelle reconnaissent les héros de la légende au récit des deux voyageurs.

Au début de «La Jongleuse», on peut lire un curieux liminaire intitulé «Fantaisie» et placé sous deux vers épigraphes de Dante: «Ô printemps! jeunesse de l'année. / Ô jeunesse! printemps de la vie» (p. 29). L'auteur rappelle d'un ton déchirant les «jours vermeils», les «grappes de bleuets» et les «colombes envolées du nid». Apostrophant ses lecteurs, il s'écrie tout à coup: «Ah! pleurons ensemble; car nos âmes déchues une fois chassées par les ans de cet Éden enchanté de la vie, n'y retournent jamais!» (p. 29) L'enfance et la légende sont ainsi vénérées comme dépositaires d'une parole primordiale, l'une sur le plan personnel, l'autre sur le plan collectif. Ce texte raconte le souvenir d'un voyage en Europe au cours duquel le lecteur visite avec l'écrivain «cette belle terre de France (...), le plus beau royaume après celui du ciel» (p. 30). Parmi les capitales du vieux monde, Paris y est qualifié de «coupe d'or et de venin de l'humanité», Rome et Florence y sont évoquées avec leur enchantement sur lequel plane une ombre plus terrible encore que celle de la Jongleuse: «le fantôme hideux d'une société pourrie». Au retour, le voyageur retrouve avec émotion l'entrée majestueuse du golfe, l'âme naturelle du grand fleuve dont participe la voix populaire de la légende. Rendu avec lui sur la grève, devant la vieille église de la Basse-Ville, là où la lueur d'une lanterne éclaire le canot dans lequel a pris place l'équipage de Madame Houel au commencement de «La Jongleuse», le lecteur constate que le monde de la légende s'inscrit entre l'Europe corrompue et l'Indien démoniaque, l'auteur délimitant ainsi l'espace du berceau de la nation. Cette inscription ouvre un interstice entre un *avant* et un *après*, entre une américanité sans histoire et une civilisation décadente. Dans l'interrègne d'une telle fracture du temps mondial, il y a place pour la naissance prédestinée d'un nouveau peuple voué au recommencement mythique d'une patrie soudée à la religion. Le personnage de l'Indien dans les légendes de l'abbé Casgrain est donc la contrepartie de l'image de la ville dans le roman canadien-français de la même époque; la modernité industrielle et son pluralisme sont un mal absolu, tout comme la barbarie et la cruauté attribuées aux tribus amérindiennes des origines.

* * *

Dans son avertissement «au lecteur» au début de *Forestiers et voyageurs*, Joseph-Charles Taché rassemble les traits du personnage qu'il se propose de placer au centre de son livre. Ce n'est pas du tout l'abstraction allégorique ni l'image d'Épinal qui colorent de leurs teintes falotes les «tableaux» qu'affectionne l'auteur des *Légendes canadiennes*. Taché fait valoir une expérience personnelle des hommes et des choses dans la composition des légendes qui n'occupent pas tout l'espace du récit. La qualité la plus remarquable de son texte, c'est sa capacité de faire revivre un milieu en même temps qu'il constitue un document de la culture populaire: chansons, contes, proverbes, parfois mots ou locutions.

> *Voyageur*, dans le sens canadien du mot, ne veut pas dire simplement un homme qui a voyagé; il ne veut pas même dire toujours un homme qui a vu beaucoup de pays. Ce nom, dans notre vocabulaire, comporte une idée complexe.
>
> Le voyageur canadien est un homme au tempérament aventureux, propre à tout, capable d'être, tantôt, successivement ou tout à la fois, découvreur, interprète, bûcheron, colon, chasseur, pêcheur, marin, guerrier. Il possède toutes ces qualités, *en puissance*, alors même qu'il n'a pas encore eu l'occasion de les exercer toutes. (...) La forêt, les prairies, la mer, les lacs, les rivières, les éléments et lui se connaissent d'instinct.
>
> (...) C'est, avec tout juste ce qu'il faut de poli à une œuvre du genre, l'homme du peuple que je voudrais peindre dans les lignes suivantes, tel qu'il se montre dans la vie intime, laissé à lui-même dans ses bons instincts, sa bonne humeur, et sa poésie naturelle[5]...

---

5. *Forestiers et voyageurs*, Montréal, Fides («Nénuphar»), 1946, p. 13-16. La première édition en volume (après le texte paru dans *Les soirées canadiennes* en 1863) est de 1884: Montréal, Librairie Saint-Joseph, Cadieux et Derome, 240 pages. Mais je citerai toujours l'édition Fides («Nénuphar», 1946) à moins d'indication contraire. Toutes les références à ce texte seront faites par le numéro de page donné entre parenthèses immédiatement après la citation.

Au premier chapitre de l'ouvrage, le narrateur emboîte le pas à une joyeuse bande de bûcherons en route pour les chantiers après avoir passé les fêtes de Noël et du Jour de l'An dans leur paroisse du bas du fleuve. La description du site, de l'installation matérielle et de la structure sociale du chantier précède la présentation du personnage. François-le-veuf est inconsolable de la mort de sa femme et s'est fait cuisinier pour ruminer sa peine en restant seul au camp pendant que les hommes coupent et transportent le bois en forêt. L'homme chante une complainte au moment où le narrateur l'aborde pour essayer de le raisonner. Puis l'écrivain cède la parole au conteur principal, le père Michel, voyageur à la retraite qui trappe le gibier pour la cuisine du chantier et qui raconte à la veillée les histoires de sa vie aventureuse pour le plus grand plaisir des travailleurs forestiers et du lecteur. Voici le portrait que trace Taché de cet alerte vieillard sur qui repose en bonne partie sa narration:

> L'ensemble de sa personne avait cet air de négligence, ce chiffonné qui plaisent tant aux artistes. La vivacité de son regard et de sa parole contrastait avec cette allure lente et mesurée qu'acquièrent les hommes que n'ont pas épargnés les fatigues et les aventures. Gai d'ordinaire, il tombait quelquefois dans des rêveries silencieuses, dont il n'était pas toujours facile de le faire sortir. C'était un grand conteur: comme il avait beaucoup vu, beaucoup entendu et un peu lu, son répertoire n'était jamais épuisé: il aimait, du reste, autant à conter qu'on aimait à l'entendre. (p. 36)

Le livre comprend deux parties: «Les chantiers»

et «Histoire du père Michel». La seconde, beaucoup plus étendue, tend vers le roman: c'est l'histoire d'une vie avec son drame secret recouvert par le répertoire du conteur. La première, plus strictement documentaire, est une sorte de reportage sur la vie des forestiers. L'unité de l'ensemble tient uniquement à la présence de ce type du conteur, incarnation exemplaire de la culture populaire, telle que l'auteur la conçoit. Il rappelle la genèse de son personnage dans le texte «Au lecteur» déjà cité:

> Dans l'*Histoire du Père Michel,* j'ai réuni sur la tête d'un seul acteur plusieurs aventures qui sont réellement advenues, à divers personnages que j'ai connus. J'ai encore pris occasion de mentionner quelques noms bénis de nos populations, de narrer quelques légendes et contes populaires, et de rappeler quelques souvenirs qui se rattachent aux endroits parcourus par mon héros. (p. 16)

La narration se partage entre un narrateur porte-parole de l'auteur, que j'appellerai le premier narrateur, et le conteur populaire qu'est le père Michel, narrateur délégué ou secondaire. Le premier prend en charge la partie documentaire, les transitions entre les aventures du second ainsi que la poétique du livre, qui repose sur le génie chthonien de la forêt dont l'âme nationale a été formée par la culture des légendes populaires. Dans le cinquième chapitre, intitulé «L'entracte» et qui marque une pause dans les épisodes du récit du père Michel, le premier narrateur commente:

> Laissons raisonner «les esprits forts qui ne sont que des fous», et, croyant ce qu'il faut croire de ces choses qui ont

du vrai, jouissons-en en tout cas comme de conceptions poétiques qui touchent au côté mystérieux de notre être.

Ô Forêt! patrie des génies, théâtre à grands décors des enchantements et des sortilèges! Comme je t'admirais alors, et comme je me plaisais à te peupler de ces fantômes riants ou terribles, enfants de l'imagination des peuples! (p. 77)

Au début du douzième chapitre («Ajournement»), on peut lire un développement qui tend à fonder les contes du père Michel dans l'universalité de «ces figures typiques, qu'on retrouve chez tous les peuples». Taché ne manque pas de signaler la foi solide et l'éducation religieuse de son conteur, mais il insiste beaucoup plus, à l'encontre de l'abbé Casgrain, sur «cette précieuse semence des vérités naturelles restée dans l'homme après sa chute» et qui fleurit dans la poésie de la tradition orale.

Pour moi, je retiens fidèlement dans ma mémoire tous ces récits, soit que, exposés véritables de faits réels, ils fassent partie du tableau de nos mœurs nationales, soit que, pieuses légendes ou pures fictions, ils forment ce fonds de poésie innée, qui n'est qu'une des expressions des aspirations de l'homme vers sa fin.

D'où viennent, en effet, les conceptions magnifiques des poètes dignes de ce nom? D'où viennent les chants admirables du grand rapsode grec et les chants, non moins beaux, du grand rêveur toscan? Si ce n'est de ces sources vives du sens humain, de cette intuition populaire du merveilleux chez les peuples qui croient à quelque chose (p. 112).

Ainsi, pour Taché, la verve du père Michel inscrit le texte national dans le répertoire mondial de la poésie, où il rejoint Homère et Dante, la Bible, Gœthe et les contes persans. *Forestiers et voyageurs* cherche un point commun entre le plus local et le plus général, le plus spécifique et le plus universel. La culture prend le pas sur la religion dans cette tentative qui animait aussi l'œuvre de l'abbé Casgrain, et la légende dorée du merveilleux chrétien le cède au paganisme du génie des peuples. Un romantisme plus anthropologique que littéraire inspire le livre de Taché.

Le père Michel a voyagé, il a couru tous les sortilèges de cette forêt enchantée, il a été chasseur, pêcheur, trafiquant, en un mot voyageur, nouveau nom de l'antique coureur de bois[6]. La carrière du bonhomme est cependant marquée d'un drame personnel. Un jour, le père Michel faisait la pêche commerciale dans une région concédée en monopole à une compagnie de traite. Des agents à la solde des bourgeois poursuivent le héros et son associé, une bousculade s'ensuit et le braconnier blesse involontairement un jeune officier anglais avant de prendre la fuite. Le coup a été porté sans préméditation, mais la blessure est grave et le père Michel traîne inexorablement le remords de l'assassin. En guise d'expiation, il abandonne son com-

---

6. L'évolution sémantique, historique et littéraire du vocabulaire relatif à la traite des fourrures a fait l'objet d'une belle étude de Jack Warwick: *L'appel du Nord dans la littérature canadienne-française*, Montréal, Hurtubise HMH («Constantes», no 30), 1972, 250 pages. Il s'agit d'une traduction de l'anglais par Jean Simard. Le titre original est : *The Long Journey*.

merce lucratif et fait vœu d'accomplir un pèlerinage à Sainte-Anne s'il apprend jamais que sa victime a survécu. Ce n'est que bien des années plus tard qu'il reçoit la nouvelle tragique de la mort de cet officier après une longue infirmité, mais le protestant a eu le temps de se convertir avant de mourir et cette circonstance est interprétée comme preuve que le vœu a été exaucé. Le père Michel se rend alors à Sainte-Anne et rend grâces au ciel d'avoir été l'instrument malheureux de l'œuvre du salut.

* * *

Avant de prendre congé des pâles couleurs de cette littérature pieuse, il faut tenter d'en dégager la signification dans l'atmosphère intellectuelle de l'époque et l'effet encore sensible dans la production littéraire actuelle. La manière de l'abbé Casgrain révèle des traits significatifs de son écriture qu'il est intéressant de retenir indépendamment de l'idéologie explicite de son entreprise. L'intrusion de l'iconographie religieuse et de la sensibilité populaire dans les structures du récit, la mièvrerie puérile, teintée d'affection filiale, qui souligne la leçon, la corrélation des deux figures de la religion et de la mère dans l'histoire racontée, tout concourt chez Casgrain à la féminisation de l'idéal patriotique et à l'infantilisation du lecteur. C'est comme si l'auteur des légendes régressait psychologiquement quand il tente de mettre en pratique sa «théorie» de la mission patriotique confiée à la littérature nationale.

On peut faire une observation semblable sur l'épilogue de l'aventure du père Michel: le type héroïque du voyageur, figure choisie pour représenter les mâles vertus de la race, est incarné par un vieillard larmoyant qui s'estime heureux d'avoir été l'instrument involontaire de la conversion au catholicisme de son opposant anglo-protestant. La vie du valeureux coureur de bois s'achève dans la dévotion à sainte Anne[7] qui dénoue le conflit dramatique par la charité chrétienne.

Ai-je tort de lire dans le fonctionnement narratif de ces légendes l'accomplissement d'une sorte de castration? On peut y voir, en tout cas, le résultat d'un messianisme infléchi vers son pôle inconscient, évidemment féminin, qui veut museler l'agressivité en interposant la médiation sacrée d'une religion apaisante contre l'affrontement des intérêts historiques qui apparaissent au nouveau jour de la conscience nationale du Canada français.

Dans l'ordre de la fiction littéraire, ces légendes ouvrent de nouvelles voies à l'étude du personnage féminin dans la littérature québécoise. L'archétype de la mère traditionnelle, dont maman Plouffe deviendra le cliché, parmi toutes les Donalda et les Rose-Anna qui peuplent le roman québécois con-

---

7. Mère de la Vierge Marie et grand-mère du Christ, sainte Anne est depuis longtemps l'objet d'une grande dévotion au Québec, au point d'y avoir son lieu consacré (Sainte-Anne-de-Beaupré, près de Québec) visité par des cortèges de pèlerins. Est-il besoin de souligner que c'est à la patronne de la maternité que le brave héros de Taché doit le dénouement de sa virile carrière de voyageur?

temporain, cette image est l'une des créations littéraires du messianisme idéologique du XIXe siècle. C'est par la légende qu'il devient possible d'étudier le passage du discours religieux au discours littéraire, l'interférence du symbolique dans l'imaginaire et la présence latente du roman familial dans la production culturelle. Je pense qu'on pourrait reprendre à partir de là certaines enquêtes et réviser quelques interprétations reçues. Quelque chose paralyse la dynamique essentielle des pôles et cet obstacle n'est autre que la figure de la mère campée en victime sacrée, dont la voix distille le remords d'une faute imaginaire et la culpabilité d'un geste inaccompli. Ce schéma n'est pas moins utile à l'analyse des pères absents ou fantasmés du roman québécois actuel, lesquels ne peuvent le plus souvent que s'affaisser dans l'aliénation (Blais, Tremblay) ou se dresser dans le crime (Aquin, Turgeon).

La légende connaîtra encore des fortunes diverses dans les œuvres de plusieurs écrivains jusqu'à la fin du XIXe siècle. Mais une tendance au réalisme et à la démystification se fera jour dans les contes de Beaugrand et de Fréchette[8], par exemple, où les histoires de revenants se dénoueront souvent par un

---

8. Louis-Honoré Fréchette, *Contes I — La Noël au Canada*, Montréal, Fides («Nénuphar»), 1974, 184 pages ; *Contes II — Masques et fantômes*, Montréal, Fides («Nénuphar»), 1976, 372 pages. On pourrait mentionner aussi Honoré Beaugrand, *La chasse-galerie*, Montréal, Fides («Nénuphar»), 1973, 93 pages.

détail ménagé pour laisser le dernier mot à l'explication rationnelle, l'effet du conte substituant l'ironie souriante de l'écrivain à la croyance naïve que
supposait la légende. L'équilibre du genre, qui
repose sur un dosage de faits observables et d'interventions surnaturelles, se renverse. Mais la prose de
Fréchette appartient à la fin du siècle et témoigne
d'une rapide évolution dans la transcription
littéraire de la tradition orale. Joseph-Charles Taché,
quant à lui, faisait dire à son narrateur dans «Le
follet de la Mare-aux-bars»: «Je ressentais un malaise
secret: le serein de la nuit me faisait froid au cœur,
et l'obscurité était telle qu'il me semblait qu'il n'y
avait que Ouellon et moi dans le monde, tant me
paraissait immense le vide que les ténèbres faisaient
autour de nous» (p. 62). La phrase explore à la fois
la subjectivité et l'atmosphère réaliste d'un espace
qui embrasse la nature et la place inquiète qu'y tient
l'occupation humaine. L'immensité de ce vide et
l'étendue des ténèbres expriment une inquiétude
fondamentale que la légende a trop souvent préféré
résoudre par la foi. Cette inquiétude, le roman ne
pourra pas éviter de l'explorer de plus près, de la
poser telle quelle, d'en chercher les raisons dans le
monde sensible au lieu de la dénouer sur le plan
surnaturel.

Il n'y a pas de solution de continuité entre les
légendes canadiennes et le roman qui se cherche
alors, entre l'histoire et la tradition orale (roman
historique et roman de la terre), parce que le même
scénario psychologique préside à l'évolution du

héros qui circule des unes aux autres. Le roman et la légende veillent au grain de la prose et à l'éloquence du poème. Il faut que tout ce qui s'écrit parle avec l'accent sacré de la patrie (et c'est une voix de femme, comme l'entendra Maria Chapdelaine, non pas certes pour séduire, mais pour appeler, capter et tenir, pour garder comme la mère, comme la terre). Forestiers et voyageurs, émigrés et captifs du même sol, envoûtés d'une seule image: les yeux en larmes de la mère éplorée. Il y avait de très bonnes raisons pour que le mélodrame fût un genre populaire et il n'y manqua point. Il investit même le roman autant que le réalisme et peut-être en même temps que celui-ci. Entre Taché et Grignon, que de thèses à écrire! C'est Desrosiers, Savard et surtout Ringuet qui dénoueront avant la Seconde Guerre mondiale cet écheveau emmêlé depuis Gérin-Lajoie et Aubert de Gaspé.

4

Un héros romanesque
entre l'histoire et la légende

J'aime beaucoup, dit Arché, cette légende dans sa naïve simplicité: elle donne une leçon de morale bien sublime, en même temps qu'elle montre la foi vive de vos bons habitants de la Nouvelle-France. Maudit soit le cruel philosophe qui chercherait à leur ravir les consolations qu'elle leur donne dans les épreuves sans nombre de cette malheureuse vie!

PHILIPPE AUBERT DE GASPÉ,
Les anciens Canadiens

La poétique dont l'abbé Casgrain et ses émules s'étaient faits les promoteurs allait aboutir à une impasse. Cela tient principalement à la rigidité d'une codification morale qui prétendait définir la pureté exemplaire et l'essence religieuse de l'âme populaire par le biais de la légende. La pierre d'achoppement de ces efforts était la difficulté de faire vivre littérairement un type de héros dégagé des poncifs du romantisme français et des prescriptions du messianisme localement florissant.

115

Au même moment toutefois se dessinait l'émergence du roman, où la légende jouait un rôle non négligeable, mais en entrant en interaction avec les règles d'un nouveau modèle narratif. C'est là qu'on peut voir apparaître un certain type de personnage également tributaire des conditions contemporaines de la vie sociale et de l'idéalisation pseudo-historique des figures légendaires du pionnier fondateur. À cet égard, Philippe Aubert de Gaspé (père) est l'écrivain qui s'impose à l'attention, lui qui s'est attelé le premier à l'entreprise d'unir l'histoire et la légende sous la forme du roman. *Les anciens Canadiens*, roman paru en 1863 dans les pages des *Soirées canadiennes*, est un bon exemple de cette transformation par laquelle un genre littéraire est amené à organiser l'espace mythique de la tradition orale. L'importance de ce texte tient principalement à la nécessité d'intégrer la culture traditionnelle au roman historique. Même si le résultat n'est pas en tous points convaincant, il ouvre quand même pour la première fois une voie à l'écriture et à la fiction en cherchant une combinaison originale de littérature et de tradition populaire. On s'explique aisément que l'œuvre ait intéressé les ethnologues autant sinon plus que les littéraires: «En définitive, c'est cette peinture traditionnelle qui assure à de Gaspé sa pérennité bien plus que le drame cornélien ou l'épopée romanesque qui lui ont servi de prétexte[1].»

1. Luc Lacoursière, «Philippe Aubert de Gaspé (1786-1871)», *Les Cahiers des Dix*, n° 41, 1976, p. 204.

Il est peut-être temps, cependant, de reconnaître et de mettre en évidence chez l'auteur des *Anciens Canadiens* un autre titre que celui de «premier historien des traditions populaires» que lui donne Luc Lacoursière.

Le problème s'apparente à celui que je relevais chez Casgrain. On se souvient que l'auteur des *Légendes canadiennes* voulait adapter l'idéologie messianique à la naïveté de l'affabulation édifiante. Le défi qui se pose à de Gaspé consiste à traiter le contenu des légendes dans le code littéraire du roman.

Le raccordement des deux trames reste maladroit dans l'ensemble, puisqu'il faut lire jusqu'au onzième chapitre (sur les dix-huit que compte le roman) avant de voir se nouer les éléments moteurs du conflit, tout ce qui précède se laissant réduire à une aimable chronique du bon vieux temps, souvenirs d'un autre âge racontés avec esprit par un narrateur qui ne manque ni de verve ni de culture. Ce long préambule prend la forme d'une conversation truffée d'anecdotes et de légendes entre des personnages qui voyagent de Québec à Saint-Jean-Port-Joli. L'intrigue se met en place à travers l'amitié des deux jeunes gens qui entreprennent leurs vacances d'été à la sortie du petit séminaire de Québec: l'antagonisme des acteurs d'un grand drame historique se voile de complicité dans le duo formé de Jules d'Haberville et d'Archibald de Locheill, «frères» unis et séparés par les mêmes valeurs d'honneur militaire, d'appartenance sociale et de fierté nationale. La position respective des deux héros fait de leur évolution symétrique le miroir d'un destin tragique résultant du jeu des relations qui interpose entre eux les alliances ou les conflits de leur famille ou de leur peuple. Tout cela est, en effet, un peu cornélien et la recherche du sublime encombre la simple évocation de l'autre extrémité d'un monde infra-historique où fleurit l'Éden préservé de la légende.

Ces deux jeunes gens bien nés — l'un est héritier de la seigneurie de Saint-Jean-Port-Joli, l'autre appartient à une noble famille écossaise — devisent joyeusement avec le cocher, José, homme à tout faire du manoir d'Haberville et grand conteur devant l'Éternel. Le cours de la conversation signale un réseau d'échanges complexes entre la convivialité carnavalesque de l'habitant (José) et la courtoisie savante de ses maîtres (Jules et Arché). Il en résulte des écarts médiatisés par l'équivoque, dont la narration tire un grand nombre d'effets plaisants ou de contrastes insolites. Entre la parole exubérante de José et la morgue de scoliaste des jeunes gens, l'écriture tisse une foule de rapports, les uns ayant pour fonction de dramatiser la brutalité du choc historique, l'effondrement d'une société idyllique, le désastre de la perte de la Nouvelle-France (dans le contexte des événements de la guerre de conquête de 1759-1760), les autres servant à nourrir la mémoire collective d'un peuple au berceau, l'enchantement natal d'une culture parée des grâces de l'enfance. Mais un voile maléfique semble étendre partout son ombre sur la naissance difficile d'un monde enfin baigné par la lumière historique. D'une part, la leçon apprise de l'histoire par le sort des armes; d'autre part, le regret lancinant du paradis perdu.

Le cinquième chapitre des *Anciens Canadiens* intitulé «La Débâcle» raconte le sauvetage de Dumais, un habitant du village de Saint-Thomas, par l'intrépide Archibald de Locheill. On se souviendra que le groupe formé par Jules, Arché et José est en route vers le manoir seigneurial de Saint-Jean-Port-Joli où l'étudiant écossais est invité à passer l'été chez son camarade canadien. Les haltes du voyage sont tantôt marquées par des palabres où la tradition orale occupe une large part (de sorte que José ouvre une seconde narration dans le récit romanesque), tantôt ce sont de véritables accidents de parcours qui s'insèrent dans les «stations» de l'itinéraire. Les péripéties d'une intrigue lente à se nouer s'insinuent dans les coupures de la conversation. C'est qu'il y a bien double code et effort malaisé de les concilier dans la même forme narrative: d'un côté la lecture de Walter Scott et du roman historique[2], de l'autre le tableau moral dans le goût des légendes. Mais celles-ci ont si fortement tendance à s'imposer que le roman lui-même en paraît globalement menacé. L'épisode de Saint-Thomas, en tout

---

2. Philippe Aubert de Gaspé est un écrivain cultivé, en dépit de sa bonhomie coutumière et de sa modestie d'auteur improvisé, mais sa culture personnelle est probablement faite du même alliage de tradition littéraire et d'observation des hommes de la société rurale canadienne-française, que l'image qui en est donnée par son roman.

cas, appartient presque totalement à «l'esthétique» de l'abbé Casgrain, il en constitue déjà l'excessif accomplissement, peut-être le terme indépassable!

Il importe de noter que c'est l'aspect collectif de la représentation qui s'attache à l'esprit de la légende. La création d'une forte individualité ne semble pas avoir soutenu l'intérêt des écrivains de la période, mais c'est bien cela qui est en jeu dans la tension qui travaille l'œuvre de Philippe Aubert de Gaspé. Le romancier est ici comme exilé de son projet, dépossédé de ses personnages, tenu à distance même de la direction diégétique de son récit, comme si une force invincible l'amenait à sacrifier l'existence des êtres qu'il invente à une image touchante mais exsangue, tel l'amour de Blanche immolé sur l'autel de la patrie, telle la confession du Bon Gentilhomme surdéterminée par le «roman d'apprentissage» de Jules, telle la malédiction prophétique de l'inquiétante Marie, la sorcière du domaine, tel enfin le peuple rassemblé et muet de stupeur derrière la figure solennelle du curé exhortant l'âme de Dumais à quitter ce monde tourmenté où la débâcle risque de l'engloutir d'un moment à l'autre. Partout le spectre d'une grande ombre plane sur l'action des héros, qui se dissolvent dans le clair-obscur étudié de la légende. Le fleuve souverain et redoutable en fournit l'image à plusieurs reprises.

L'un des traits les plus remarquables de ce cinquième chapitre, c'est d'abord le nombre d'entreprises de «sauvetage» qui y ont lieu. Peu avant l'intervention fructueuse de l'Écossais, le curé de la paroisse a publiquement libéré l'âme du malheureux Dumais de ses attaches terrestres; puis le capitaine Marcheterre a échoué dans sa tentative de jeter un pont de bois jusqu'au rocher où l'habitant est prisonnier des glaces déchaînées par la crue des eaux; José a ensuite empêché son maître, Jules, de se précipiter à la rescousse de son ami Arché qui nageait déjà audacieusement dans le torrent glacé; de la même façon, Marcheterre avait interdit à son propre fils de céder à la chaleur d'un dévouement excessif pour sauver le pauvre Dumais: «c'était l'amour filial aux prises avec (...) l'amour de l'humanité» (p. 61), commente le narrateur[3]. La frénésie générale l'emporte et chacun se prend au jeu de la surenchère émotive qui s'empare des spectateurs du drame: «Il ne manquait rien à cette scène d'horreur si grandiose!» (p. 65)

Cette concurrence de candidats à l'héroïsme souligne évidemment le courage et le succès du jeune Écossais, qui s'élève au-dessus de tout le peuple réuni et cependant impuissant à conjurer la tragédie imminente, même par l'intervention de ses notables. Celui qui est appelé à figurer l'ennemi héréditaire, l'agent involontaire du pillage et de la destruction de la patrie, l'incendiaire, c'est celui-là

3. Philippe Aubert de Gaspé, *Les anciens Canadiens*, Montréal, Fides («Bibliothèque canadienne-française»), 1975. Tous les renvois à ce texte sont indiqués par le numéro de page entre parenthèses donné immédiatement après la citation.

même qui apparaît d'abord sous les traits nobles du sauveur, maître des eaux furieuses à qui il arrache une proie certaine. Le code de la légende insiste sur la portée religieuse de la scène, mais ce faisant, il n'en fait que mieux ressortir le sens latent: la précarité et la chute inévitable de tout ce qui s'abrite autour de ce clocher significativement transformé en tocsin pour la circonstance. Contre le spectacle émouvant certes mais inefficace d'une société engluée dans le mutisme et la stupeur, peut-être secrètement prostrée dans la délectation du malheur, contre cette hypnose visuelle et morbidement contemplative — «Les flambeaux agités sur les deux plages reflétaient une lueur sinistre»(p. 65) —, contre ce cauchemar hallucinatoire, Arché affirme héroïquement la volonté de son geste déjà vainqueur. Le romancier, lui, hésite entre la peinture des sentiments et la narration de l'action proprement dite, sur laquelle il achoppe par le biais de la description. La péripétie s'achève du reste le mieux du monde et une fois le malheureux Dumais sauvé des eaux, tout le monde a l'appétit creusé par tant d'émotions: «Allons souper maintenant, dit M. de Beaumont» (p. 75)...

Le sauvetage de Dumais tient évidemment du genre moral qui sévit chez les écrivains de l'époque. Mais est-ce là bien lire l'épisode? L'important, du point de vue de l'écriture, c'est la place de cette action secondaire dans la composition du roman tel que l'auteur le conçoit. Celui-ci visait probablement à insérer l'histoire dans un espace imaginaire fortement imprégné par la légende. Arché, en tant qu'ennemi historique, s'introduit dans le roman sous les traits du sauveur légendaire: telle est la fonction de la mésaventure de Dumais. Par son action d'éclat, Arché entre plus profondément dans la société qui va nouer en lui son conflit fondateur: en sauvant Dumais, l'Écossais généreux devient le «frère» du bon peuple canadien, l'ami de Jules fait moralement partie de sa nation d'adoption et les liens de Locheill avec le Canada, déjà engagés par l'hospitalité du manoir d'Haberville qui sanctionnait l'amitié naturelle des jeunes gens, sont désormais étroitement noués avec la communauté. Le romancier met donc en place un ressort capital de son intrigue, en attachant réciproquement le héros anglophone à la population rurale dans la personne de Dumais. Aussi, en prenant congé de ce dernier après son long rétablissement chez le seigneur de Beaumont, Arché pressent-il le cours ultérieur de son destin romanesque: «Qui sait? dit de Locheill; peut-être ferez-vous plus pour moi que je n'ai fait pour vous» (p. 88). Façon classique de relancer la curiosité amorcée du lecteur: «Le montagnard écossais possédait-il la seconde vue dont se vantent ses compatriotes? C'est ce que la suite de ce récit fera voir» (p. 88).

La lourdeur dramatique de l'épisode vient surtout des effets convenus qui appartiennent au genre de la légende, mais il faut bien voir que c'est tout le canevas du roman qui tient ici à une ébauche d'inspiration légendaire. Il suffit de relier ce chapitre au réseau d'images auquel il participe dans l'économie générale du livre pour s'en convaincre. Le thème des eaux furibondes et des éléments destructeurs en constitue la métaphore centrale. La situation peu enviable de Dumais menacé par la débâcle reprend un motif répété tout au long du roman et qui évoque ordinairement le bonheur innocent d'une société paisible que viennent perturber les secousses de l'histoire. Le signifiant le plus répandu de cette donnée de base est classique: c'est le destin inexorable figuré comme un cours d'eau puissant qui balaie tout sur son passage. Dumais rejoint par là le sort de tous les personnages entre lesquels est répartie la représentation de la collectivité canadienne-française dans *Les anciens Canadiens*. En voici quelques exemples parmi les plus évidents:

> Nous sommes à la fin d'avril; le ruisseau est débordé, et des enfants s'amusent à détacher de ses bords des petits glaçons qui, diminuant toujours de volume, finissent, après avoir franchi tous les obstacles, par disparaître à leurs yeux, et aller se perdre dans l'immense fleuve Saint-Laurent. Un poète, qui fait son profit de tout, contemplant, les bras croisés, cette scène d'un air rêveur, et suivant la descente des petits glaçons, leurs temps d'arrêt, leurs ricochets, les eût comparés à ces hommes ambitieux arrivant, après une vie agitée, au terme de leur carrière, aussi légers d'argent que de réputation, et finissant par s'engloutir dans le gouffre de l'éternité (p. 18).

> — Vois, reprit le vieillard, cette onde qui coule si paisiblement à nos pieds; elle se mêlera, dans une heure tout au plus, aux eaux plus agitées du grand fleuve, dont elle subira les tempêtes, et, dans quelques jours, mêlée aux flots de l'Atlantique, elle sera le jouet de toute la fureur

des ouragans qui soulèvent ses vagues jusqu'aux nues. Voilà l'image de notre vie. Tes jours, jusqu'ici, ont été aussi paisibles que les eaux de ma petite rivière; mais bien vite tu seras ballotté sur le grand fleuve de la vie, pour être exposé ensuite aux fureurs de cet immense océan humain qui renverse tout sur son passage! Je t'ai vu naître, d'Haberville... (p. 137-138)

— Toi, ici, mon cher de Saint-Luc! La vue de mon plus cruel ennemi ne pourrait me causer autant d'horreur. Parle; et dis-nous que tous nos parents et amis, passagers dans l'*Auguste*, sont ensevelis dans les flots, et que toi seul, échappé du naufrage, tu nous en apportes la triste nouvelle (p. 211)!

On peut aisément admettre, à la lecture de ces passages, que le sauvetage de Dumais prend une saveur allégorique dans le contexte général du roman. Le brave habitant symbolise le sort national du Canada français et c'est l'histoire elle-même qui se lit comme une légende. L'image de la débâcle qui a surpris l'imprudent se range au nombre des accidents naturels qui forment le climat du conte, dont l'action ne résulte jamais des passions des hommes, ni de leurs actions, mais d'une puissance plus vaste aux attributs surnaturels. Telle est la signification cachée que la littérature canadienne-française s'applique à rabattre sur l'histoire. Les plaines d'Abraham furent une grande tempête, une secousse, un cataclysme: il s'en produit dans l'histoire comme dans la nature, après quoi le climat peut toujours revenir au beau fixe.

Il est particulièrement remarquable que, dans le passage qui nous occupe, ce soit justement le héros d'envergure historique, le futur vainqueur de 1759, qui se voie confier le rôle de sauveur dans l'économie de l'épisode légendaire. Arché est d'ailleurs un grand admirateur des fabuleuses aventures racontées par José, lequel sert de support à la plus belle transposition de la tradition orale qui ait jamais été faite dans notre littérature. Le romancier doit inventer pour ce faire un espace complexe qui démarque soigneusement les clivages sociaux et les différences culturelles du conteur et de son auditoire formé par deux jeunes lettrés de famille noble. Au fameux récit des tribulations «de mon défunt père qui est mort», alors que José abordait le sujet attendu des sorciers de l'île d'Orléans dans la légende de la Corriveau (ch. III, IV), Arché se lance dans une longue méditation sur les cyclopes (appelés «cyriclopes» dans la langue de José) dont le conteur populaire a enrichi son répertoire contaminé par l'érudition de «mon oncle Raoul», comme Jules se fait un devoir de le lui apprendre.

Ce genre d'échanges où les créatures mythologiques de la Grèce ancienne circulent librement parmi les inventions truculentes d'un poète illettré caractérise la verve de l'auteur. La première observation qui s'impose devant ce «quadrille» de cultures savante et populaire, c'est qu'il s'agit justement d'imaginer un théâtre narratif où ces deux espaces mentaux puissent se rencontrer. Et sur ce plan précis, *Les anciens Canadiens* atteint par endroits à des bonheurs d'expression véritables. On peut lui reprocher de le faire au détriment de la matière romanesque, mais il n'y a rien à redire au dessin du personnage de José. C'est une grande réussite dans une tradition littéraire qui ne semble avoir donné qu'une interminable série d'esquisses aussi prometteuses que falotes.

José est un marqueur essentiel de la narration dans la continuité fragile qui passe par la suture du légendaire et du romanesque, selon le projet de l'auteur. Nous sommes quelque part entre les contes de Fréchette et les légendes de l'abbé Casgrain. Celui-ci avait soumis l'écriture à une foi naïve et méfiante à l'endroit de la raison; celui-là ne croira plus au merveilleux et lui substituera carrément un rationalisme démystificateur. Les deux assassinent, à force de convictions, l'équilibre naturel de la fabulation populaire. Philippe Aubert de Gaspé, tenant la position médiane, ouvre laborieusement le passage d'une écriture originale entre la confiance souriante et l'ironie sans aigreur. «Que dites-vous maintenant, monsieur l'incrédule égoïste, qui refusiez tantôt au Canada le luxe de ses sorciers et sorcières?» (p. 55) demande fièrement Jules à Arché, après la performance de José. Les citations latines dont les jeunes gens aiment ponctuer le récit de José — en guise de commentaires que le conteur relève toujours à contresens, au plus grand plaisir des commentateurs — font partie d'un procédé de délimitation fictive de l'univers sociologique représenté à l'intention du lecteur. Ces reparties jalonnent un espace symbolique où la mythologie, la littérature et l'histoire, inscrites dans le discours de Jules et d'Arché, ont tendance à former une contre-légende pour faire pendant à la faconde de José. Le narrateur du roman joue des effets divers tirés de ce double codage socio-culturel. «José, pendant ce colloque, se grattait la tête d'un air piteux. Semblable au Caleb Balderstone de Walter Scott, dans sa *Bride of Lammermoor*» (p. 38)... En fait, le romancier, qui veut faire de l'harmonie sociale de l'Ancien Régime la thèse de son livre, ne se prive pourtant pas de marquer et d'utiliser les différences de classe de ses personnages pour en tirer ses meilleurs effets d'ironie.

Qu'il s'agisse de décrire les festivités de la Saint-Jean-Baptiste (ch. IX), d'aborder la confidence autobiographique par l'histoire du bon gentilhomme (ch. X) ou de rappeler des souvenirs intimes sur le ton commode de la légende (ch. XI), *Les anciens Canadiens* pratique un véritable croisement des codes narratifs du roman et du conte parlé. Le treizième chapitre («Une nuit avec les sauvages») en fournit une fois de plus un excellent exemple, quand Dumais explique l'histoire du nationalisme écossais à un Indien nommé la Grand'Loutre.

On connaît la dette de reconnaissance liant l'habitant de Saint-Thomas à Archibald de Locheill qui lui a sauvé la vie lors de la débâcle. Or, après l'incendie de la côte du Sud, Arché, devenu malgré lui l'ennemi de ses hôtes, est fait prisonnier par des Indiens alliés aux Français. Dumais, qui fait partie de la bande, reconnaît son ancien bienfaiteur et voit enfin l'occasion de répondre en action à celui qui, après l'avoir arraché à une mort certaine, lui avait dit: «Qui sait? (...) peut-être ferez-vous plus pour moi que je n'ai fait pour vous» (p. 88). Il s'agit donc pour l'habitant de convaincre son allié indien, la Grand'Loutre, de libérer cet «Anglais» destiné au supplice. Lors de la convalescence du rescapé de Saint-Thomas chez le seigneur de Beaumont, de Locheill avait raconté au malade les luttes du nationalisme écossais contre l'Angleterre. Le portrait héroïque des montagnards que Dumais trace à son tour à l'intention de l'Indien donne lieu à une plaisante adaptation canadienne du monde de Walter Scott. La Grand'Loutre joue ici le rôle d'un nouveau José et Dumais, comme naguère Jules, s'emploie de son mieux à contrefaire le caractère national de l'Écossais. «Les Écossais sont les sauvages des Anglais» (p. 179), affirme Dumais à la Grand'Loutre qui se fait raisonneur et sceptique pour conserver ses droits sur le prisonnier. C'est l'univers culturel de l'Europe littéraire qui fait cette fois les frais de l'ironie, le romancier déplaçant l'axe des valeurs de référence au gré du destinataire de son discours fictif. La richesse des connotations fournies par l'exploitation différenciée des systèmes culturels est certainement un élément propre à l'écriture romanesque, et c'est Philippe Aubert de Gaspé qui nous en offre un des premiers exemples dans notre corpus. Ainsi, baignant dans les eaux lustrales de la légende, l'histoire des *Anciens Canadiens* touche pourtant par un côté à la terre ferme du roman.

Tout indique cependant que cette dualité est

minée par une rupture dramatique qui cherche son expression dans toute la structure du texte. C'est d'une fracture de la mémoire personnelle et de l'histoire collective que procède chez Philippe Aubert de Gaspé la doublure légendaire du roman.

> Que ceux qui connaissent notre bonne cité de Québec se transportent, en corps ou en esprit, sur le marché de la haute ville, ne serait-ce que pour juger des changements survenus dans cette localité depuis l'an de grâce 1757, époque à laquelle commence cette histoire. (p. 17-18)

L'auteur, né en 1786, n'a pas lui-même connu l'époque qu'il raconte, mais il a pu disposer des souvenirs de témoins authentiques qu'il cite d'ailleurs abondamment en note. Une frontière irréversible sépare toute la durée du récit entre un autrefois délicieux et un présent désenchanté. Le partage malaisé entre la légende et l'histoire se joue autour d'une problématique analogue. La première évoque le mythe fondateur de la Nouvelle-France, société parfaite, sans faille, harmonieuse et souriante comme le paradis des origines. La seconde raconte la fin brutale de ce bonheur avec la conquête militaire de 1759. Mais c'est d'un autre événement, celui-là d'ordre personnel, qu'a pu provenir la blessure dont la trace subsiste dans ce principe d'organisation du récit. Philippe Aubert de Gaspé est un seigneur déchu dont la carrière littéraire a racheté les erreurs de jeunesse[4]. L'auteur s'est portraituré

---

4. Philippe Aubert de Gaspé a été emprisonné pour dettes et a perdu son poste de shérif de la ville de Québec, après une jeunesse prodigue.

sous les traits du bon gentilhomme, M. d'Egmont, dont la ruine métaphorise à la fois le sort de l'ancienne aristocratie face au nouveau régime et les revers de fortune qui guettent un tempérament trop généreux et non prévenu contre l'avidité des hommes. La pente morale de la légende adoucit donc les aspérités d'une expérience personnelle autant qu'historique. Maurice Lemire écrit avec raison: «Aussi, pour lui la catastrophe fait-elle partie intégrante de la vie. La défaite de 1760 est au centre de son roman comme sa destitution est au centre de sa vie. Son monde intérieur se divise selon l'avant et l'après[5].»

Même si l'habitation de Marie la sorcière (ch. IX) «ne ressemblait en rien à celle de la sibylle de Cumes, ni à l'antre d'aucune sorcière ancienne ou moderne» (p. 129), ses terribles paroles annoncent point par point les malheurs qui vont s'abattre sur les principaux membres du clan d'Haberville et sur leur protégé, Archibald de Locheill. Notons également le contexte de l'épisode (une aimable promenade nocturne par un beau soir d'été), qui le fait apparaître comme un orage surgi dans un ciel clair. Jules et Arché passent l'été au manoir avant leur départ pour l'Europe où chacun ira parfaire sa formation de gentilhomme par le service militaire, le premier en France, l'autre en Angleterre pour rentrer en grâce auprès du roi (la famille de

---

5. *Dictionnaire des œuvres littéraires du Québec*, tome I, *Des origines à 1900*, Montréal, Fides, 1978, p. 22.

Locheill a été ruinée par la défaite de Culloden, dans des circonstances étrangement semblables à celles qui vont bientôt amener la chute des d'Haberville). La guerre éclatera bientôt entre les deux puissances européennes, transformant en ennemis les joyeux camarades du petit séminaire de Québec et les amis inséparables des vacances à Saint-Jean-Port-Joli (ch. XII).

Mais revenons pour l'instant à ce 24 juin 1757 (ch. IX). Fête paysanne et religieuse, la Saint-Jean-Baptiste est aussi la fête patronale de la paroisse (Saint-Jean-Port-Joli). Le romancier soigne le tableau qui précise les usages réglant les rapports des habitants avec le couple institutionnel du seigneur et du curé. L'auteur illustre bien sûr la thèse ultramontaine de l'union sacrée de l'Église et de l'État, et il est juste de remarquer, comme le fait Nicole Deschamps[6], que *Les anciens Canadiens* se lisent plus par rapport à l'idéologie de 1860 qu'en regard de la réalité historique de 1760. La journée du 24 juin est marquée de réjouissances qui se terminent par une visite chez «la sorcière du domaine», épisode qui s'inscrit naturellement à la suite des contes de José, mais dans un rapport cette fois plus direct avec l'intrigue du roman.

La vieille Marie est liée d'une ancienne amitié avec Blanche d'Haberville, la sœur de Jules, dont

---

6. «Les anciens Canadiens de 1860, une société de seigneurs et de va-nu-pieds», *Études françaises*, I, n° 3, oct. 1965, p. 3-15.

l'enfance a été entourée par les soins affectueux de la pauvre femme qui a sombré dans la folie et la réclusion après différents malheurs domestiques. Si j'ai soigneusement relevé les circonstances qui font de cette journée l'évocation idyllique d'une atmosphère de bonheur communautaire, c'est pour mieux souligner la conclusion quasi shakespearienne qui vient en dénouer la sérénité pastorale par une scène de cauchemar. La sorcière se fait cuire une grillade sur le pas de sa porte et ne paraît pas vouloir tenir compte de la présence des visiteurs. Elle adresse des imprécations à un être invisible qu'elle accuse de favoriser la menace anglaise qui plane sur la colonie. Quand chacun l'aura pressée de quitter son dialogue spirite pour parler convenablement en société, il faudra encore l'intervention de Blanche pour que Marie consente à sortir de son entretien occulte et se répande en malédictions. «Tous convinrent qu'ils ne l'avaient jamais entendue parler sur ce ton. (...) Mais ce léger nuage fut bientôt dissipé à leur arrivée au manoir, où ils trouvèrent une société nombreuse» (p. 131). Ébranlés par ces paroles insolites comme par un oracle terrifiant, les promeneurs reprennent la route du retour pour réintégrer la ronde dansante qui les attend au manoir. Blanche, qui vient de susciter et de subir l'acrimonie de la sorcière, est aussi la première à être accueillie et introduite dans le cercle joyeux par le chef des danseurs.

Entre Marie la sorcière et Blanche «la noble et riche demoiselle», se répartit la voix la plus acerbe qui ose dénoncer la violence du choc historique qui est le sujet du roman. Les hommes, en comparaison, ne font que subir plus ou moins indolemment les événements qui les rapprochent ou qui les dressent les uns contre les autres. Là aussi, me semble-t-il, le propos des *Anciens Canadiens* inaugure et annonce une caractéristique importante de la littérature canadienne-française, en ceci que ce sont des femmes sacrifiées et portant le fardeau de l'humiliation des hommes qui élèvent la seule protestation audible dans le concert nostalgique ou résigné qui résume la parole ou l'action des héros. Marie et Blanche identifient nommément l'agent antagoniste et responsable de la rupture fondamentale qui travaille l'univers des *Anciens Canadiens*; l'une par la parole, l'autre par l'action; la première avec fureur, la seconde sur le ton de la noblesse outragée; Marie en dévoilant l'ambiguïté du «frère ennemi» sous les traits d'Arché, Blanche en révélant l'inavouable attraction qui agit sous le masque du code de l'honneur guerrier.

> MARIE: Garde ta pitié pour tes amis, ô Archibald de Locheill! lorsque tu promèneras la torche incendiaire sur leurs paisibles habitations... (p. 131)

> BLANCHE: Est-ce lorsque la fumée s'élève encore de nos masures en ruine que vous m'offrez la main d'un des incendiaires? Ce serait une ironie bien cruelle que d'allumer le flambeau de l'hyménée aux cendres fumantes de ma malheureuse patrie! (p. 241)

Mais la Providence est le visage apaisant de la raison historique et même l'irascible seigneur d'Haberville (celui qui n'oublia jamais une injure) finira par s'y rendre:

> Les dernières paroles du capitaine à son fils furent:
> — Sers ton nouveau souverain avec autant de fidélité que j'ai servi le roi de France; et que Dieu te bénisse, mon cher fils, pour la consolation que tu m'as donnée! (p. 276)

Le père résigné, c'est-à-dire vaincu, touché dans son honneur, voilà l'écho brisé et le ton adouci de la voix qui s'élevait avec fierté dans la réponse de Blanche au digne représentant de son nouveau souverain:

> La noble fille bondit comme si une vipère l'eût mordue; et, pâle de colère, la lèvre frémissante, elle s'écria: — Vous m'offensez, capitaine Archibald Cameron de Locheill! (p. 241)

Toute l'histoire des *Anciens Canadiens* est placée sous le signe des insinuations, des avertissements et des présages du malheur. Le roman agrandit cet aperçu fugace du pressentiment aux dimensions d'une vision du monde, mais cela ne peut être que la vision d'un monde dévasté, ruiné, déchu de son antique et naturelle splendeur. Il convient de noter qu'à l'encontre de Casgrain, le roman de Gaspé laisse filtrer l'agressivité par la voix des femmes, substituant ainsi la colère humiliée à la tendresse résignée.

> Le capitaine d'Haberville, qui avait fait pendant longtemps la guerre avec les alliés sauvages, était imbu de beaucoup de leurs superstitions: aussi, lorsqu'il fut victime des malheurs qui frappèrent tant de familles canadiennes en 1759, il ne manqua pas de croire que ces

désastres lui avaient été prédits deux ans auparavant. (p. 154)

Le *paterfamilias* montre une disposition affinée par sa culture qui lui propose une image toute féminine: l'appréhension inquiète des présages. Le capitaine croit aux légendes et vit la situation conformément à leur logique. Tant que la parole est dans la bouche des José et des Dumais, qui s'expriment en paraboles comme M. Jourdain parlait en prose, nous restons dans le souvenir enchanté d'un émerveillement qui colore l'enfance de la nation d'une sorte de soleil radieux. C'est la fin de cette mémoire insoucieuse qui débouche sur le regret dont témoigne une autre parole faite pour dire le choc destructeur, l'inquiétude de l'avenir et la hantise d'une antériorité bienheureuse.

La légende et l'histoire, la fable populaire et l'intrigue du roman, la culture paysanne et le code littéraire se rencontrent ainsi pour la première fois dans la prose narrative de l'auteur septuagénaire. Une structure préside à ce laborieux jumelage, que je proposerais de chercher du côté d'une dualité étendue à tous les niveaux du texte: le couple de héros Jules/Arché; le couple domestique M. d'Egmont (le bon gentilhomme)/André Francœur; le couple «prophétique» Blanche/Marie la folle; le doublage de la narration principale par les nombreuses interventions de l'auteur, en note ou dans le texte (narrateur/auteur); et le plus riche peut-être de tous ces dédoublements: le sauvetage d'Arché par Dumais, au chapitre XIII, répondant au précédent sauvetage de Dumais par Arché, au chapitre V. Le plus riche parce que la répétition inversée de la même situation y fonctionne comme signe de ce qui pourrait bien être le sens proposé du roman, sa portée symbolique, c'est-à-dire son message providentiel, pour employer les mots mêmes du roman. Ainsi la série de «sauveurs» infructueux qui s'agitaient pour secourir Dumais dans l'épisode de «La débâcle» se résout finalement dans la pure symétrie des actions réciproques de Dumais (sauvé-sauveur) et d'Arché (sauveur-sauvé): c'est en effet ce retournement, trop remarquable pour être simplement attribuable au hasard, qui appelle une lecture providentielle, du reste explicitement suggérée par le héros:

> Il y a, Dumais, une solidarité bien remarquable dans nos deux existences. Parti de Pointe-Lévis, il y a deux ans, j'arrive sur les bords de la Rivière-du-Sud pour vous retirer de l'abîme: quelques minutes plus tard vous étiez perdu sans ressources. Je suis, moi, fait prisonnier, hier, par des sauvages, après une longue traversée de l'Océan; et vous, mon cher Dumais, vous vous trouvez à point sur un îlot du lac Trois-Saumons pour me sauver l'honneur et la vie; *la providence de Dieu s'est certainement manifestée d'une manière visible* (je souligne). Adieu, mon cher ami; quelqu'aventureuse que soit la carrière du soldat, j'ai l'espoir que nous reposerons la tête sous le même tertre, et que vos enfants et petits-enfants auront une raison de plus de bénir la mémoire d'Archibald Cameron of Locheill. (p. 190-191)

La bénédiction et la malédiction du nouveau régime se disputent dans tout le texte des *Anciens Canadiens*. Quelle mémoire se trouve honorée par l'écrivain gentilhomme?

5

Rivardville ou l'avenir
vu avec les yeux du souvenir

En effet Rivardville reçut à cette époque une étrange
impulsion due, suivant les uns, au progrès naturel
et insensible des défrichements et de la colonisation,
suivant les autres, à la construction de l'église dont
nous avons parlé.

ANTOINE GÉRIN-LAJOIE, *Jean Rivard*

Philippe Aubert de Gaspé écrit une œuvre du souvenir, au moment même où ce souvenir alimente le
rêve qui porte, croit-on, une vision de l'avenir. *Les*
anciens Canadiens regarde vers un passé qui n'a plus
guère d'existence, sinon dans les loisirs poétiques
d'un vieillard assez lucide pour ne pas confondre
complètement sa propre mémoire avec celle de la
génération qui porte aussi son œuvre en 1860. La
première qualité du livre est dans ce détachement.
Le mot paraîtra paradoxal, mais malgré ses protes-

tations d'enthousiasme et sa profession de foi obli-
gée, Philippe Aubert de Gaspé est un exemple de
liberté, de sourire précritique, parfois de délicieuse
ironie qui s'ignore, qui s'oublie, qui fait semblant de
se rappeler, qui invente. C'est pourtant le pessi-
misme qui l'inspire. Il est né en 1786; il prétend
détenir des acteurs de l'événement des témoignages
authentiques sur la conquête. Quand il se fait auteur
à un âge avancé, il pourrait être le grand-père de
tous les écrivains de son pays. Un drame intime sert
de point d'ancrage à son œuvre, qui s'égare un peu
dans les tableaux d'une fresque historique et les
documents d'une enquête ethnographique sur la
Nouvelle-France à la veille du grand choc de 1760.
Le sujet est en lui-même une ambition désignée par
la situation, à la fois reflet doré de la mémoire ances-
trale — telle qu'en ses purs commencements — et
rude initiation aux rigueurs de la raison historique.

Là où des lueurs crépusculaires raniment l'univers du vieux seigneur, c'est une sorte de matin
radieux qui éclaire le monde merveilleux de *Jean
Rivard*, dont l'auteur, Antoine Gérin-Lajoie, est né
en 1824. Aux légendes populaires des *Anciens Canadiens*, à la verve légère du conteur et du moraliste
succèdent, dans l'utopie du terroir qu'est Rivardville, le langage chiffré du bon entrepreneur agricole, les arguments positifs de l'orateur doublé du
fonctionnaire et du politicien. Les deux romans sont
dans un rapport l'un avec l'autre qui tient de la
relation père-fils où se joue l'histoire du royaume et
de l'exil, du salut et de la chute. La temporalité de

140

Jean Rivard est prospective, elle court vers la réalisation d'un événement progressif dont elle décrit les phases inévitablement enchaînées vers l'avènement, vers l'avenir. Captive des sinueux détours de la mémoire dans le livre de Philippe Aubert de Gaspé, l'image rêvée des origines se matérialise en projet de société sous la plume de Gérin-Lajoie.

Les deux œuvres paraissent presque en même temps dans le conflit interne qui fait éclater la première équipe des *Soirées canadiennes* pour conduire à la fondation du *Foyer canadien*. *Jean Rivard, le défricheur* est publié en 1862 dans la première des deux revues, soit un an avant que n'y paraisse *Les anciens Canadiens*. Si je feins ici de considérer le texte de Gérin-Lajoie comme postérieur à celui de Gaspé, c'est dans la perspective d'une filiation qui appartient à l'affabulation des deux œuvres et non à la chronologie. *Les anciens Canadiens* parle de la disparition d'une société historique; *Jean Rivard* de sa reconstruction tant mythique qu'économique. Les deux révèlent les sens divergents auxquels est soumis le message monologique du messianisme mis à l'épreuve de la fiction. Gérin-Lajoie transforme en volonté d'action le tendre souvenir de la tradition, et l'horizon d'attente des lecteurs va se charger du reste en faisant de son récit l'évangile de la colonisation.

Qui est l'auteur de *Jean Rivard?* Avoir vingt ans en 1844, être regardé comme un des représentants les plus brillants de sa génération après des études classiques au collège de Nicolet, participer à la fondation de l'Institut canadien de Montréal, en être élu président à trois reprises, faire son droit tout en étant secrétaire de la Société Saint-Jean-Baptiste et en tenant à peu près tous les rôles au journal *La Minerve* de Ludger Duvernay, travailler à la campagne de Papineau — tout juste rentré d'exil pour se faire élire dans le comté de Saint-Maurice —, sortir désabusé de l'action politique pour devenir fonctionnaire et prendre une part active au mouvement littéraire de 1860, voilà qui donne une idée de la fiévreuse atmosphère de ces années du milieu du siècle à travers la carrière d'un écrivain comme Antoine Gérin-Lajoie. Intimement mêlé à toute cette agitation, l'homme[1] concentre dans le déploiement d'une telle activité la forme exemplaire de l'expérience de sa génération, dont l'enfance a été marquée par le retentissement des événements politiques ayant abouti au dénouement tragique de 1837-1838.

De tout cela sortira un roman qui tient un peu du manuel pratique et du traité spécialisé (d'agriculture), qui se donne pour la clef stratégique de la reconstruction nationale et qui crée le symbole socio-économique de son succès. Ce que l'auteur se propose de sauver cependant, c'est peut-être moins le sort de la nation que le sens de sa propre carrière dont l'aventure de son héros peut figurer l'image

---

1. Il faut lire l'étude de René Dionne, *Antoine Gérin-Lajoie, homme de lettres*, Sherbrooke, Naaman, 1978, 435 pages.

compensatoire. Si quelque chose en effet retient l'attention dans le récit de la réussite du nouveau défricheur, c'est cette préoccupation omniprésente de l'utile, qui prend finalement l'allure d'une véritable construction utopique. La gestion du temps et l'administration des biens, l'édification accélérée d'une société modèle, la synthèse inédite des figures du pionnier et du *self-made-man* dans la personne civique du colonisateur, tel est le nouveau visage que le romancier donne au mythe recommencé: reconquérir le sol de l'antique patrie, mais le faire d'un geste neuf, d'une âme généreuse, en alliant les vertus réconciliées de la fidélité terrienne et du pragmatisme industriel, de sorte que s'accomplisse le redressement promis et énoncé par le texte national. Il y a donc une tension constante dans le livre entre l'idéologie traditionnelle et les moyens techniques de sa réalisation sociale, ce dont témoignent du reste les deux volets du diptyque romanesque (le défricheur, l'économiste). Ce dilemme s'enracine dans la vie de l'auteur, dont de nombreux épisodes ne sont pas sans éclairer d'un jour particulier la genèse de son texte.

Dès le mois d'août 1844, on voit partir de Yamachiche pour New York le jeune finissant du collège de Nicolet qui venait de connaître un modeste triomphe à son *alma mater* lors de la représentation d'une tragédie en vers, *Le jeune Latour*. L'événement avait créé beaucoup d'émoi, puisque toute la société cultivée s'était donné rendez-vous pour venir applaudir l'œuvre du collégien. Joseph-Guillaume

Barthe[2], directeur du journal *L'Aurore des Canadas*, publie un article dithyrambique sur le jeune écrivain, parle de la pièce comme d'une date marquante et promet de l'imprimer dans son journal. Même l'archevêque de Québec s'est déplacé pour l'événement. Bref, on peut se demander si la naïveté n'est pas plus du côté des représentants de l'institution que de l'écrivain en herbe. Le gouverneur du Canada-Uni décerne une récompense officielle de vingt-cinq dollars au dramaturge, et Charles-Marie Ducharme[3] traduit sans doute quelque chose du climat qui entourait la situation lorsqu'il emploie, à propos de l'auteur du *Jeune Latour*, l'image de Jason s'embarquant sur l'Argo pour aller conquérir la Toison d'or. C'est dans de telles dispositions que l'étudiant acclamé part en août 1844 pour New York, quelques dollars en poche, le manuscrit de sa tragédie dans ses bagages avec de chaudes recommandations signées de la main de ses maîtres de Nicolet. Il voyage en compagnie d'un camarade qui porte sans doute les mêmes ambitions que lui, plus un capital de trente dollars. En arrivant à Trois-Rivières, à six lieues de sa paroisse natale, il ne peut retenir son étonnement tant la ville lui paraît immense.

2. Membre fondateur de l'Institut canadien et directeur de *L'Aurore des Canadas*; auteur de *Le Canada reconquis par la France*, Paris, Ledoyen, 1855.

3. «Antoine Gérin-Lajoie et Jean Rivard», conférence donnée à l'Union catholique de Montréal, le 1er novembre 1885; dans *Ris et croquis*, Montréal, C.O. Beauchemin et Fils, 1889, p. 102.

Le voyage aux États-Unis dura dix-sept jours et fit l'effet d'une douche froide sur la vie poétique de l'adolescent. Lui et son compagnon de voyage ne savaient pas à eux deux dix mots d'anglais et le peu qu'ils savaient était de toute façon prononcé de façon inintelligible. Leur déception fut d'autant plus grande qu'ils ne doutaient pas qu'il leur suffirait de se présenter pour cueillir la fortune et la gloire. C'est en tout cas une expérience mémorable dans la vie de l'auteur; je citerai assez longuement la relation qu'il en fait dans ses *Mémoires*, restés inédits mais dont l'abbé Casgrain donne de larges extraits dans la biographie de Gérin-Lajoie qu'il en a tirée:

> À la vue de New York, de ce vaste amas de maisons formant plusieurs milles de long, et contenant plusieurs mille âmes, nous sentîmes nos espérances se ranimer, nous disant que nous serions bien malheureux, si au milieu de cette immense population, nous ne trouvions pas à assumer notre existence.
>
> C'est pourtant là que commencèrent nos désenchantements et que s'écroulèrent les magnifiques châteaux en Espagne que nous avions construits.
>
> Nous séjournâmes trois jours dans cette grande cité, et ces trois jours furent probablement les plus pénibles que j'aie eu à passer, pour la raison que jusque-là, je ne m'étais nourri que d'illusions et de chimères, et que je me vis transporté dans un monde tout différent de celui que j'avais rêvé. Ce fut un éveil affreux. Tomber tout à coup d'une campagne du Bas-Canada dans la ville de New York, la première ville de l'Amérique, c'est un changement qui peut intéresser ceux qui ont le goût des contrastes; mais pour l'écolier novice, s'y aventurer sans ressource et sans expérience, c'était une imprudence, pour

ne pas dire une folie. Qu'on se fasse une idée de notre position! Nous étions au milieu de New York, sans un seul ami, sans une seule connaissance. Avec cela, nous n'avions pas la moindre recommandation, à part quelques certificats de respectabilité et de capacité signés par nos professeurs et les principaux magistrats de nos localités dont les noms étaient du chinois pour les habitants de New York! Admettons aussi que notre extérieur n'était guère de nature à nous conquérir des admirateurs. J'avais l'air excessivement timide, et j'étais complètement dépourvu de manières. Quant à ma toilette, quoiqu'elle fût assez propre, et suivant les dernières modes de ma paroisse, je ne jugerais pas qu'elle fût à la mode de New York.

C'était des détails que je croyais indignes de l'attention d'un homme sérieux, et il est probable qu'assez souvent pour l'œil exercé d'un dandy, ma mine devait friser le ridicule.

Une toilette soignée, irréprochable, beaucoup d'assurance, des manières aisées, sont cependant partout des choses de la plus grande importance pour celui qui se met en quête d'une situation[4].

Toutes les rencontres que fait Gérin-Lajoie à New York dans l'espoir de trouver du travail lui font comprendre la témérité de son entreprise: chacun lui conseille de rentrer au pays. Il acceptera le montant de son billet de retour offert par un lecteur du compte rendu de sa tragédie publié dans *L'Aurore des Canadas*. Une fois à Montréal, il accepte, après trois mois de chômage, la proposition de Ludger Duvernay, qui lui confie les tâches les plus ingrates au

---

4. H.-R. Casgrain, *Antoine Gérin-Lajoie d'après ses Mémoires*, Montréal, Beauchemin, 1926, p. 40-41. (La première édition est de 1885.)

journal libéral *La Minerve* pour un salaire si négligeable que le patron oublie fréquemment de le verser et que l'employé hésite à le réclamer[5]. Le jeune homme accepte ce travail avec empressement, suit l'actualité de près, se mêle au tourbillon des sociétés patriotiques qui foisonnent et assume bientôt, sans le titre, les fonctions de rédacteur de *La Minerve*. Lorsque viendra le moment de la rentrée de Papineau dans l'arène partisane, en 1848, Gérin-Lajoie s'occupera d'abord de faire élire le tribun, puis se ravisera pour se ranger du côté de La Fontaine, optant en cela pour la prudence et se ménageant l'appui de protecteurs[6] puissants qui assureront sa sécurité et sa carrière de fonctionnaire dès 1849. Mais le rhétoricien de Nicolet promis à la gloire littéraire a bien profité de son dur apprentissage du journalisme. Il est facile de suivre dans ces années de formation la genèse du personnage de Gustave Charménil, l'alter ego du héros Jean Rivard. «On dirait que Gérin-Lajoie s'est peint lui-même dans ces lettres[7]», note pertinemment Charles-Marie Ducharme. L'humiliation d'être exclu de la chronique mondaine faute de pouvoir s'assurer un niveau

---

5. Lorsqu'il entre aux bureaux de *La Minerve*, à la fin de 1844, Gérin-Lajoie est chargé des travaux de traduction, de correspondance, de correction d'épreuves et de mise en page. Il reçoit en principe deux dollars par semaine d'un traitement qui ne lui est cependant qu'assez irrégulièrement versé et parfois sous forme d'invitation à boire chez son patron, que le jeune journaliste décline vertueusement.

6. Augustin-Norbert Morin (1803-1865), entre autres.

7. *Ris et croquis*, p. 107.

de vie convenable, les privations de toutes sortes dues à la pauvreté, l'état chancelant d'une santé épuisée par le surmenage, enfin et surtout la souffrance de ne pouvoir se mettre en ménage et soutenir l'entretien d'une famille, tous ces éléments qui composent le personnage malheureux de Gustave Charménil appartiennent à l'expérience de l'auteur et s'inversent idéalement dans la figure archétypique de Jean Rivard.

Les *Silhouettes littéraires* de Placide Lépine, un pseudonyme de l'abbé Casgrain, présentent un portrait de Gérin-Lajoie en trois personnes: le jeune poète inspiré, l'érudit serein dans sa bibliothèque et le vieillard heureux retiré sur sa ferme. C'est une image d'Épinal comme les appréciait l'amateur de légendes qui écrit: «Si tout le monde était bon et parfait comme lui, on verrait reparaître l'Éden sur la terre[8].» Il s'agit moins d'un homme que d'un être imaginaire, c'est-à-dire du messie que l'auteur de *Jean Rivard* fait advenir dans son texte en niant sa propre vie de bureaucrate. Un autre commentateur contemporain, Louis-Michel Darveau, écrit quant à lui: «Le poète, le journaliste et le romancier, ont fait place à l'homme pratique, à l'homme de bureau, qui songe plus à l'avenir qu'à la gloire, au réalisme qu'à l'idéal[9].» Tout en invitant implicitement à voir

---

8. «Antoine Gérin-Lajoie», dans *Silhouettes littéraires* de Placide Lépine, texte édité par Auguste Laperrière, *Les Guêpes canadiennes*, Ottawa, Bureau Imprimeur, 1881, tome I, p. 235.

9. *Nos hommes de lettres*, vol. I, Montréal, Imprimé par A.A. Stevenson, 1873, p. 229.

l'homme derrière l'œuvre et à ne pas lire celle-ci comme un roman, mais comme l'émanation de la sagesse et de la compétence désintéressées, ces «critiques» masquent une donnée fondamentale du rapport entre l'homme et l'œuvre: chez Gérin-Lajoie, c'est l'homme de cabinet qui croit échapper à la déception bourgeoise en imaginant Rivardville pour corriger sa propre condition. Le romancier a projeté le dénouement rêvé de sa vie personnelle sur le type idéalisé de son héros, rachetant du coup ses aspirations interdites depuis le périple new-yorkais de 1844. L'imaginaire inverse les données biographiques: à mesure que s'accumulent les difficultés du journaliste, les frustrations du militant, les mesquineries de la politique, ces contraintes de la réalité vont nourrir la figure symbolique d'un héros doublement ajusté au rêve compensateur de l'ex-séminariste de Nicolet, d'une part, et à l'horizon d'attente du nationalisme ambiant, d'autre part.

Dans son expérience individuelle de jeune lettré, Antoine Gérin-Lajoie est en fait dans la position de Gustave Charménil, qui représente dans le récit la genèse du roman. Les *Mémoires* nous apprennent d'ailleurs que l'auteur a caressé le projet d'un retour à la terre dès 1849, au moment où un choix de carrière longuement différé commence à le préoccuper de plus en plus. Le dilemme prend toutes les allures d'une crise morale: comment tenir les deux bouts de la chaîne entre le fort engagement de l'homme dans le débat nationaliste du moment et la nécessité individuelle de se faire une situation, une carrière, une place au soleil à coups d'ambition, de ruse, de bassesse? Étudiant en droit puis avocat, il n'estimait pas beaucoup la profession. La solution idéale lui apparaît dans le type exemplaire de l'agriculteur instruit, indépendant de fortune grâce à l'excellence de son exploitation et, par surcroît, moteur du développement social. Pendant que l'écrivain va accoucher de cette vision confiée à l'audace de son héros, l'homme choisit la sécurité et la prudence en devenant traducteur et bibliothécaire au parlement. Tout rentre dans l'ordre, les rapports sont savamment équilibrés entre les valeurs collectives, la survie individuelle et la grande poussée intérieure de l'idéal réparateur. Alternative manquante aux rigueurs d'une implacable réalité, Jean Rivard pourra vivre dans la fiction et y accomplir la rédemption mythique attendue par toute la nation, tout en dénouant l'impasse d'une bourgeoisie sans emploi utile, sans avenir, sans idéal.

Selon Maurice Lemire, les thèses économiques sur lesquelles se fonde l'économie fictive de Rivardville sont empruntées à l'école des physiocrates. En transposant dans la société canadienne-française de 1840 (temps du récit) l'utopie socialiste des disciples du comte de Saint-Simon, Gérin-Lajoie remplace l'ancienne élite féodale, dont prend congé le roman de Philippe Aubert de Gaspé, par une nouvelle classe d'entrepreneurs, de colons «éclairés», de promoteurs d'un nouveau type de capitalisme rural. En dépit de l'importance donnée à l'organisation de la prospérité matérielle, Rivardville ressemble plus à la

Nouvelle-France sous Jean Talon qu'à l'essor industriel du XIXe siècle. Le programme socio-politique du roman ne se prive d'ailleurs pas d'emprunter le ton de la propagande. L'abbé Casgrain s'en réjouit: «Il aurait pu aspirer à devenir le plus brillant de nos littérateurs: il ne l'a pas voulu. Il a mieux aimé en être le plus utile[10].» La fortune du livre sera prodigieuse. Maurice Lemire la résume en ces termes:

> En écrivant ce roman, Antoine Gérin-Lajoie n'ambitionnait rien de moins que le salut de tout un peuple. Aussi peut-on dire qu'il est loin d'avoir atteint son but. En revanche, on ne peut nier son influence réelle sur l'ensemble du public. À mesure que l'agriculturisme se développait, le roman de *Jean Rivard* prenait figure, selon le mot de Camille Roy, «d'évangile rustique de la race». Grâce aux soins du Conseil de l'instruction publique, il jouit de nombreuses rééditions et fut distribué à plusieurs générations d'écoliers. Jean Rivard fut longtemps le modèle que l'on proposa aux finissants des collèges classiques. C'est à ce titre surtout qu'il nous intéresse aujourd'hui. Il présente en effet l'une des expressions les plus complètes d'une idéologie qui, pendant longtemps, a servi de support à l'idéal de survivance[11].

---

10. H.-R. Casgrain, *Antoine Gérin-Lajoie d'après ses Mémoires*, p. 14.

11. «*Jean Rivard* d'Antoine Gérin-Lajoie», dans *Dictionnaire des œuvres littéraires du Québec*, tome I, p. 414. René Dionne écrit qu'il s'agit d'un véritable best-seller pour l'époque: «De tous les romans canadiens du dix-neuvième siècle, *Les anciens Canadiens* exceptés, *Jean Rivard* est celui qui a obtenu le plus de succès auprès de ses lecteurs, du moins si on en juge d'après le nombre des éditions ou réimpressions qu'il a connues: pas moins de seize depuis sa parution jusqu'en 1958, dont une en feuilleton dans *Le Monde* de Paris en 1877 (ce fut la première en France d'un roman canadien reconnu comme tel) et une autre en bandes dessinées (par J. McIsaac dans un journal d'ici)» (Postface de *Jean Rivard le défricheur* suivi de *Jean Rivard l'économiste*, p. 383).

On retrouve abondamment chez les idéologues contemporains du roman l'idéal type de l'agriculteur. «Le cultivateur éclairé et vertueux est, à mon avis, le plus beau type de l'homme[12]», écrit Gérin-Lajoie dans ses *Mémoires*, le 12 octobre 1849. Dès son retour de New York en 1844, alors qu'il s'est installé à Montréal chez un ami de collège pour chercher un emploi, son contact avec la vie urbaine lui fait concevoir l'idée consolatrice d'un retour à la campagne, si l'on en croit cette phrase des *Mémoires*: «Je me rappelle encore combien le bruit des voitures, le mouvement des rues, et cette activité fiévreuse qui régnait dans la ville, me déplaisaient; déjà je soupirais après la vie paisible et poétique de la campagne[13].» Maurice Lemire commente judicieusement: «Pour Gérin-Lajoie, l'élite égarée dans les professions libérales ne trouvera de salut que dans un retour à l'agriculture comme source première d'une richesse durable[14].»

Il y aurait certes beaucoup à dire sur le statut fictif du texte et le travail d'énonciation qui vise à le nier dans la narration de ce roman. Il s'agit d'ailleurs d'un lieu commun du texte national, qui se nie volontiers comme fiction dans le but d'accréditer la vérité de son discours. Le relais du commentaire critique joue à cet égard un rôle fondamental, inter-

---

12. Cité par H.-R. Casgrain, *Antoine Gérin-Lajoie d'après ses Mémoires*, p. 86.
13. *Ibid.*, p. 52.
14. «*Jean Rivard* d'Antoine Gérin-Lajoie», p. 411.

152

venant pour rectifier toute lecture trop portée à
suivre une pente purement imaginaire:

> *Jean Rivard* n'est donc pas un de ces récits fantaisistes et
> énervants où l'on voit les passions, à leur paroxysme, se
> heurter avec bruit, comme les vagues d'une mer tumul-
> tueuse, c'est plutôt une esquisse fidèle de la vie énergique
> et laborieuse d'un jeune défricheur canadien, vie uni-
> forme et paisible comme un petit lac au fond des bois[15].

La remarque est de Charles-Marie Ducharme,
mais elle est loin d'être isolée. Placide Lépine (H.-R.
Casgrain) écrivait lui aussi: «En écrivant *Jean Rivard*,
M. Lajoie n'a pas eu l'intention de faire un roman,
il a simplement voulu personnifier et dramatiser la
vie du défricheur canadien[16].» Les deux commentaires ne font que souligner une intention explicite du
narrateur du roman, qui prévient son lecteur, dès les
premières pages, que l'histoire qu'il va lire n'est rien
moins qu'un roman. Les variantes du titre et du
sous-titre du livre au cours des premières rééditions
témoignent du même souci. En feuilleton dans les
Soirées canadiennes, c'est sous le titre de *Jean Rivard, le
défricheur canadien* que le texte est publié pour la première fois en 1862. La première édition en volume,
en 1874, s'intitule *Jean Rivard, le défricheur, récit de la
vie réelle*. La troisième édition, en 1877, qui réunit les
deux volets du diptyque, modifie encore le sous-
titre: *Jean Rivard, scènes de la vie réelle*.

Jean Rivard naît en 1824 à Yamachiche, dans la

---

15. Charles-Marie Ducharme, *Ris et croquis*, p. 118.
16. «Silhouettes littéraires», dans *Les Guêpes canadiennes*, p. 232.

paroisse de Grandpré, à la même date et au même endroit que son auteur. Il acquiert, à l'automne 1843, le lot boisé du canton de Bristol, de l'autre côté du fleuve. Il faut lire en contrepoint le rapport entre «l'homme et l'œuvre», entre la biographie de l'écrivain et la carrière du héros. Le premier a sans doute adopté pour lui-même la devise qu'il place dans la bouche du second, lorsque le jeune Rivard se présente au vaillant M. Lacasse, son parrain en quelque sorte dans le métier de la colonisation: *labor omnia vincit* (il n'y a pas de difficultés dont le travail ne puisse venir à bout), proclame fièrement l'adolescent pour convaincre son interlocuteur de sa détermination et du sérieux de ses intentions. Mais les ateliers d'imprimerie de *La Minerve* qui ont servi de «forêt vierge» à la jeunesse de l'auteur ne rendaient pas autant que les champs fertiles du défricheur, et le salaire versé par Ludger Duvernay était beaucoup moins régulier que les paiements que l'Américain Arnold déboursait pour la potasse de Jean Rivard. Et lorsque ce dernier parle de chercher fortune aux États-Unis, il a tôt fait de considérer ce projet comme une «mauvaise pensée» qu'il s'empresse de chasser par celle de mettre en culture cent acres de terre neuve bien solidement attachée au sol natal. Cette «mauvaise pensée» est donc la version romanesque de l'événement déterminant qui avait mis un terme aux illusions de jeunesse du collégien de Nicolet parti tenter sa chance à New York. Le portrait idyllique de l'homme champêtre que trace le romancier s'inspire directement des déboires du bureaucrate.

154

De même, l'opposition ville/campagne que pose la correspondance fictive Rivard/Charménil puise sa dynamique en plein drame intime, comme l'atteste encore cette page des *Mémoires* de l'auteur:

> Depuis que mon caractère a commencé à se développer et à prendre de la consistance, il y a toujours eu deux hommes en moi: l'un d'eux, tranquille et insouciant, ami de l'obscurité et ne souhaitant rien de plus que l'«aurea mediocritas» d'Horace; l'autre, plein d'énergie, d'enthousiasme, d'ambition, désirant les honneurs, les dangers, la gloire du monde. Ces deux hommes si opposés commencèrent à se faire connaître au-dedans de moi, dès mes premières années de collège: depuis ils ont combattu sans cesse l'un contre l'autre, sans qu'aucun des deux ait remporté une victoire définitive sur son adversaire. L'homme ardent et ambitieux parut, pendant plusieurs années, gagner du terrain, et s'il eût eu quelque fortune à sa disposition, peut-être aurait-il commandé en maître. Mais, pauvre comme j'étais, sans ami, sans soutien, sans protection, il m'a bien fallu briser avec mes idées de gloire et d'avancement; la misère m'abattit, mais pas complètement, et l'homme paisible et indifférent finit par triompher, du moins en apparence. Je me trouvai avec un salaire annuel certain, insuffisant pour satisfaire le moindre désir d'ambition, mais capable de contenter les appétits modérés d'un philosophe de mansarde. Depuis ce temps, j'ai vécu dans une complète insignifiance. Je cherche les moyens d'être heureux. Mais il ne faut pas encore dire que l'homme doux et insouciant ait établi son empire. Non, comme dans presque toutes les altercations de ce monde, les deux adversaires se sont fait des concessions mutuelles, voilà tout[17]...

---

17. H.-R. Casgrain, *Antoine Gérin-Lajoie d'après ses Mémoires,* p. 82-83.

Dans la version romanesque qui suit le dédoublement avoué de la personnalité de l'auteur, dès la première lettre envoyée par Gustave Charménil à son ami Jean Rivard, on peut lire:

> Te le dirais-je, mon bon ami? ce bel avenir que je rêvais, cette glorieuse carrière que je devais parcourir, cette fortune, ces honneurs, ces dignités que je devais conquérir, tout cela est maintenant relégué dans le domaine des illusions. Sais-tu à quoi ont tendu tous mes efforts, toutes les ressources de mon esprit, depuis deux ans? À trouver les moyens de ne pas mourir de faim. C'est bien prosaïque, n'est-ce pas? (...) Ah! il faut bien bon gré mal gré dire adieu à la poésie, aux jouissances intellectuelles, aux plaisirs de l'imagination, et, ce qui est plus pénible encore, aux plaisirs du cœur[18].

La leçon du roman se veut l'illustration de la thèse agriculturiste comprise comme la seule solution à tous les problèmes du Canada français. La démonstration repose sur une affabulation qui ne va pas sans ambiguïté. Toute l'histoire de Jean Rivard, en effet, vise à établir la rentabilité de la colonisation, dont le caractère idéologique dans la pensée de l'époque exclut justement l'intérêt matériel au profit exclusif d'un idéal spirituel: la vocation providentielle du peuple canadien-français. Or tout le récit, qu'on le lise du point de vue de Charménil ou de celui de Rivard, a pour effet de distinguer la mauvaise et la bonne façon de poser la question de la prospérité. Tout en dépend dans le monde de

---

18. *Jean Rivard le défricheur* suivi de *Jean Rivard l'économiste*, Montréal, Hurtubise HMH («Cahiers du Québec», n° 25), 1977, p. 36.

Rivardville, qui résout ainsi symboliquement «l'interdit new-yorkais» de l'auteur. Or le refus du succès à l'américaine représentait un élément majeur aussi bien de la culture ambiante que de l'expérience personnelle de Gérin-Lajoie. Cela n'empêche pourtant pas Jean Rivard de répondre aux gémissements de Gustave Charménil de la façon suivante:

> Sais-tu bien, mon cher Gustave, que depuis que je t'ai écrit, (...) je suis devenu grand propriétaire? (...) Avant trois ans peut-être, je serai en état de me marier, et dans dix ans, je serai riche, je pourrai aider ma pauvre mère à établir ses plus jeunes enfants, et faire du bien de mille manières. (...) Qui sait si mon lot ne sera pas dans vingt ans le siège d'une grande ville? Qu'étaient, il y a un demi-siècle, les villes et villages de Toronto, Bytown, Hamilton, London, Brockville, dans le Haut-Canada et la plus grande partie des villes américaines[19]?

C'est d'ailleurs pour atténuer cette formule économique, qui risquerait d'attirer les soupçons, que la communauté idéale de Rivardville se présente aussi sous le jour mythique de la colonie primitive, qui ne devrait son abondance industrieuse qu'aux vertus de l'artisanat familial et non au machinisme industriel. Dans l'économie fictive du récit, l'optimisation rationnelle du rendement agricole s'oppose constamment au développement artificiel de l'échange commercial, de sorte que l'objectif réalisé par le succès du héros rappelle le retour à la situation du gentilhomme riche et cultivé, celui-là même dont Philippe Aubert de Gaspé raconte plaisamment

---

19. *Ibid.*, p. 27.

la disparition, au même moment, dans ses *Anciens Canadiens.* En cela l'œuvre de Gérin-Lajoie exprime indirectement le malaise et les contradictions d'une bourgeoisie en apparence libérale, au fond secrètement complice du clergé nostalgique qui réédite pour le siècle à venir le culte des valeurs ancestrales.

La carrière fictive de Jean Rivard dégage donc la signification d'un compromis négocié au milieu du siècle et qui s'inscrit dans la suite logique du «pacte des élites» intervenu au lendemain de la conquête (tel qu'on peut le lire dans le roman de Gaspé). Les transactions des pères ont déterminé les «choix» des fils, comme toujours. Gérin-Lajoie a sans doute admiré la grandeur américaine au moment de sa jeunesse passée dans l'entourage de l'Institut canadien, repaire du «rougisme» et de l'annexionisme. C'est aussi le libéral repenti et revenu de cette aventure qui fournira la formule d'un messianisme «revu et corrigé» dans les pages de *Jean Rivard.* La portée subversive du roman est nulle, mais elle récupère efficacement les aspirations progressistes de toute une génération aux fins de l'unanimité bien pensante, traduisant par là l'ampleur et le succès de l'entreprise «instituante» conduite par l'abbé Casgrain.

Il s'agit en somme de réconcilier le désir d'être riche avec les prescriptions religieuses du texte national. En fait, *Jean Rivard* oppose encore l'affirmation idéologique au doute souriant et à l'espace imaginaire inaugurés par *Les anciens Canadiens.* C'est en cela que réside avant tout la raison du succès de ce roman. En rapprochant une fois de plus le roman de Gérin-Lajoie de celui de Philippe Aubert de Gaspé, on est frappé par la symétrie de leur opposition sous bien des aspects. L'art raffiné du septuagénaire avouait en toute candeur: «Je suis (...) paresseux avec délice[20]...» Voilà une phrase qui ne risque pas de se retrouver dans la bibliothèque de Jean Rivard. Le seigneur de Saint-Jean-Port-Joli parlait d'un temps où l'oisiveté donnait des fruits exquis; les repas, les santés portées aux uns et aux autres, les contes et les palabres, les tables chargées de plats et de vins, les conversations interminables, voilà les moissons des *Anciens Canadiens*. La morale productive de Rivardville ne tolère plus ce farniente; les différentes façons d'essoucher et d'engraisser une bonne terre, la frugalité et la robustesse du défricheur, la croix noire de la tempérance sur les murs rustiques de sa cabane, telle est la *res augusta domi* dont parle Horace et qu'a adoptée Jean Rivard en la complétant par une gestion efficace. Ai-je tort de reconnaître, entre le vieux seigneur de Saint-Jean-Port-Joli et le romancier de Yamachiche, la même tension entre le féminin et le masculin que celle observée précédemment entre les thèses messianiques de Mgr Laflèche et les doctrines littéraires de l'abbé Casgrain? La littérature nationale manifeste ainsi le mal qu'elle éprouve à concilier deux tendances ou deux modèles divergents: la force affirmative, univoque et patriarcale d'inspiration

---

20. Philippe Aubert de Gaspé, *Les anciens Canadiens*, p. 8.

religieuse, et l'insécurité populaire, la naïveté émouvante, en un mot la nature féminine du sujet national livré aux secousses de l'histoire. Les *Mémoires* de l'auteur de *Jean Rivard* sont là pour confirmer que ce conflit était intériorisé dans l'expérience personnelle de Gérin-Lajoie.

La nouvelle classe instruite ne trouvera son salut qu'en alignant l'agriculture sur le principe d'une rationalisation économique qui précède d'une vingtaine d'années le projet du curé Labelle. Mais la spectaculaire ascension sociale de Jean Rivard a besoin, pour se justifier, d'une motivation morale qui la distingue de l'arrivisme.

> Jean Rivard n'était pas ce qu'on peut appeler un spéculateur; il ne cherchait pas à s'enrichir en appauvrissant les autres. Mais lorsqu'il songeait à sa vieille mère, à ses neuf frères, à ses deux sœurs, il se sentait justifiable de tirer bon parti des avantages qui s'offraient à lui, et qui après tout étaient dus à son courage et à son industrie.
>
> Il lui semblait aussi voir le doigt de la Providence dans la manière dont les événements avaient tourné[21].

La dualité des motivations trahit l'ambiguïté du «Royaume» appelé par l'avènement de Rivardville. Le chapitre d'où ce passage est tiré s'intitule «La marche du progrès» et décrit l'essor économique du village fondé par Jean Rivard après la construction de l'église paroissiale:

> En effet Rivardville reçut à cette époque une étrange impulsion due, suivant les uns, au progrès naturel et

---

21. *ean Rivard l'économiste*, p. 223.

insensible des défrichements et de la colonisation, suivant les autres, à la construction de l'église dont nous avons parlé. Ce qui est certain, c'est que tout sembla marcher à la fois.

(...) La construction des deux moulins fut aussi un événement pour les habitants de Rivardville, obligés jusqu'alors d'aller à une distance de trois lieues pour chercher quelques madriers ou faire moudre un sac de farine. Après le son de la cloche paroissiale, aucune musique ne pouvait être plus agréable aux oreilles des pauvres colons que le bruit des scies et des moulanges ou celui de la cascade servant de pouvoir hydraulique.

Et cette musique se faisait entendre presque jour et nuit.

On remarquait dans la localité un mouvement, une activité extraordinaires[22].

Tel est le bilan de trois années d'efforts déployés par le héros après sa décision de défricher la forêt vierge du canton de Bristol. La cité idéale groupée autour du clocher paroissial, autosuffisante en biens et services, se caractérise par un curieux mélange de bonheur pastoral et d'industrieuse organisation. Son image rappelle la douceur du foyer familial. La métaphore musicale qui exprime l'harmonie communautaire par le son de la cloche mêlé au bruit des machines donne la clef du succès de Rivardville. Le souvenir attendri des origines (de la Nouvelle-France) y rencontre l'avenir d'un monde industriel apprivoisé (le machinisme américain[23]).

---

22. *Ibid.*, p. 221-222.
23. En 1852, Gérin-Lajoie reprit son excursion manquée de l'été 1844 et fit un séjour de plusieurs mois aux États-Unis.

Le héros fondateur de cette société utopique a lui-même sélectionné les nouveaux arrivants qui seront ses concitoyens en donnant toujours la préférence à ceux qui promettent de jumeler l'entreprise artisanale à l'exploitation agricole. Les commerçants sont systématiquement écartés.

> Comme je vous l'ai dit, je tiens au confort, à la commodité, à la propreté, et un peu aussi à l'élégance; mais je suis l'ennemi du luxe[24].

La recherche de l'équilibre, peut-être d'un compromis entre le passé traditionnel et l'avenir moderne, inspire la conduite de Jean Rivard. Entre la ville mauvaise où s'épuise le talent gaspillé de Gustave Charménil et la campagne laborieuse, pré-urbaine de Rivardville, le roman s'efforce d'aménager l'espace d'un pays possible entre le père irascible et la mère éplorée. L'univers fictif cumule deux représentations du monde: l'émergence quasi miraculeuse de la société rêvée tient de l'épopée en même temps qu'elle se donne pour le résultat positif du travail et des qualités personnelles du héros. La perspective historique des actions de ce dernier s'allie au caractère magique de la vision qui le guide. Cette double dimension est évidente dans la narration.

> Arrêtons-nous encore un instant devant cette merveilleuse puissance du travail. Qu'avons-nous vu? Un jeune homme doué, il est vrai, des plus belles qualités du cœur,

---

24. *Jean Rivard l'économiste*, p. 327.

du corps et de l'esprit, mais dépourvu de toute autre ressource, seul, abandonné pour ainsi dire dans le monde, ne pouvant par lui-même rien produire ni pour sa propre subsistance ni pour celle d'autrui... Nous l'avons vu se frapper le front pour en faire jaillir une bonne pensée, *quand Dieu,* touché de son courage, *lui dit:* vois cette terre que j'ai créée; elle renferme dans son sein des trésors ignorés; fais disparaître ces arbres qui en couvrent la surface; je te prêterai mon feu pour les réduire en cendres, mon soleil pour échauffer le sol et le féconder, mon eau pour l'arroser, mon air pour faire circuler la vie dans les tiges de la semence... Le jeune homme obéit à cette voix et d'abondantes moissons deviennent aussitôt la récompense de ses labeurs.

Qu'on se représente ces douces et pures jouissances en présence de ces premiers fruits de son travail: *Sans moi,* se dit-il à lui-même, toutes ces richesses seraient encore enfouies dans le sein de la terre; *grâce à mes efforts,* non seulement je ne serai plus désormais à charge de personne, non seulement je pourrai vivre du produit de mes sueurs, et *ne dépendre que de moi seul et du Maître des humains,* mais d'autres me seront redevables de leur subsistance[25]!

La prospérité du héros est-elle le fruit de sa propre détermination ou l'effet d'une inspiration d'en haut? Sa fortune vient-elle plutôt de l'interaction consentie des deux facteurs? Il me semble que l'adaptation de la thèse providentialiste comporte, dans sa «version Rivardville», l'insertion de l'initiative individuelle dans le plan divin. C'est qu'il existe un point de résolution qui restaure l'unité perdue de cet *homo duplex* menacé de fracture ou d'éclatement, il existe

---

25. *Jean Rivard le défricheur,* p. 100. C'est moi qui souligne.

un moyen d'échapper à la dualité fatale, au désir volatile luttant contre l'inertie de la réalité:

> Il existe au-dedans de chaque homme un feu secret destiné à mettre en mouvement toute la machine qui compose son être; ce feu secret qui, comprimé au-dedans de l'homme oisif, y exerce les ravages intérieurs les plus funestes et produit bientôt sa destruction totale, devient chez l'homme actif et laborieux la source des plus beaux sentiments, le mobile des plus nobles actions[26].

Nous retrouvons ici l'*homo duplex*, la division intime de l'homme entre deux forces en lutte, sujet d'une longue méditation de l'auteur à laquelle je me suis arrêté plus haut, à propos d'un passage de ses *Mémoires*. Dans le roman, cette ambivalence marque l'univers de Rivardville, curieusement tendu entre sa perfection réalisée et le labeur progressif qui doit y conduire sans détour. Cette tension dynamique ne se résout pas toujours sans contradictions entre le libre arbitre et le destin, mais l'ensemble de cet univers syncrétique n'en procède pas moins d'une vision candide, enracinée dans la nature toute d'une pièce du héros. La dualité vécue par l'auteur est ainsi passée dans le monde fictif du personnage en épargnant à celui-ci toute division. Jean Rivard, en effet, résout sans conflits intérieurs les crises qui marquent les différentes étapes de sa réussite. Il sait toujours choisir en lui-même le parti qui aura raison des obstacles et dénoue semblablement toute résistance extérieure à ses projets dans le sens de l'unanimité. La certitude de son droit, la rectitude

---

26. *Ibid.*, p. 101.

de ses intentions, le bon usage des moyens dont il dispose, l'énergie transformatrice qu'il déploie font de lui un être rassemblé, qui ignore tout dilemme, toute hésitation. Vient-il près de succomber sous le fardeau de sa tâche qu'il se redresse aussitôt et ne cède pas un moment à la fatigue.

> Mais ne croyons pas aux apparences, jamais Jean Rivard n'a été plus heureux; son corps est harassé, mais son âme jouit, son esprit se complaît dans ces fatigues corporelles. Il est fier de lui-même. Il sent qu'il obéit à la voix de Celui qui a décrété que l'homme «gagnera son pain à la sueur de son front». Une voix intérieure lui dit aussi qu'il remplit un devoir sacré envers son pays, envers sa famille, envers lui-même; que lui faut-il de plus pour ranimer son énergie[27]?

Arrêtons-nous un moment au sens de cette fatigue qui serait la jouissance d'une âme réconfortée par la certitude d'accomplir le décret de la voix intérieure qui lui impose la loi du travail! Qu'est-ce donc que ce laborieux paradoxe qui fait jouir le défricheur de Rivardville? Je voudrais qu'on y reconnaisse le nouveau visage du vieux drame affectif repéré plus haut sous la plume de l'abbé Casgrain. La délectation de Jean Rivard, la sueur de son idéal et la semence de son royaume, c'est l'acte copulatif et corrélatif de cette maternité providentielle chantée par les légendes de l'abbé. On retrouvera aussi cet érotisme sacré dans les vers de *La légende d'un peuple.*

Cette voix intérieure, écho personnalisé des attentes collectives, ne dénoue pas seulement toutes

---

27. *Ibid.*, p. 75.

les situations qui se présentent; elle règle aussi tous les rapports du héros avec les autres. La clé de cette paisible solution est la triade pays/famille/identité personnelle, mais l'affabulation romanesque invite à comprendre que c'est l'affectivité, le désir, la jouissance qui sont ainsi comblés par le «Maître des humains», par «Celui qui a décrété que l'homme gagnera son pain à la sueur de son front». Toute une série de personnages adjuvants viennent seconder l'action du travailleur infatigable, depuis le curé Leblanc, le père Lacasse, le fidèle Pierre Gagnon, jusqu'à l'ami Gustave Charménil et finalement le curé Octave Doucet, sans compter l'épouse du défricheur. Les animaux, les hommes et les choses s'ordonnent docilement en une seule entité supérieurement maîtrisée par la volonté à la fois surnaturelle et individuelle de Jean Rivard. Le problème de la liberté est ainsi esquivé — comme dans le monde d'avant la chute — pour faire place à celui de la vérité, une vérité unique, partagée entre le presbytère et la bibliothèque par les conversations nocturnes de Jean Rivard et d'Octave Doucet. «C'étaient, précise le narrateur, le pouvoir spirituel et le pouvoir temporel se soutenant l'un par l'autre et se donnant la main[28].»

Il faut évidemment voir dans ce principe ultramontain le secret du succès de Rivardville, le point où la fortune du héros se confond au bonheur de la

---

28. *Jean Rivard l'économiste*, p. 205. Comment ne pas penser que la littérature, telle qu'on la conçoit et la pratique ici, s'efforce de corriger et de parfaire les ratés du texte socio-politique? «Le Canadien est essentiellement colonisateur, écrira quelque vingt-cinq ans plus

communauté. Les qualités qui caractérisent l'énergie personnelle du défricheur sont en fait subordonnées à sa responsabilité sociale, c'est-à-dire à sa foi religieuse. Il n'y a pas de contradiction entre la réussite individuelle et la charité, parce que, comme l'a écrit Joseph de Maistre, «l'infaillibilité dans l'ordre spirituel et la souveraineté dans l'ordre temporel sont deux mots parfaitement synonymes[29]». Du colon démuni au maire, au député, à l'urbaniste, au premier citoyen de la nation — car telle est la courbe ascendante de la carrière fictive du défricheur —, le roman de Gérin-Lajoie réalise tout le programme politique du messianisme, conformément aux énoncés idéologiques dégagés dans les deux premiers chapitres de cet essai. Mais c'est dans un texte de fiction que se produit cette réalisation, ce qui explique le déplacement que le texte national va opérer au moment même où paraît *Jean Rivard*, dans la foulée du mouvement littéraire de 1860. Il y a en effet une inflexion dans le relais que je m'efforce d'observer entre l'idéologique et le littéraire, entre le religieux et le fictif, entre le symbolique et l'imaginaire. Au cœur de cette modification, c'est toujours le facteur émotif qui apparaît pour insinuer la figure du féminin sous le messianisme patriarcal. *Homo duplex.*

tard Arthur Buies; l'histoire, depuis plus de deux cents ans, le démontre de toutes les manières. Mais le Canadien n'est colonisateur, dans le sens pratique du mot, qu'à une condition, c'est que la colonisation marche avec la religion. De là le double rôle du clergé dans ce pays: conduire les âmes au ciel et les défricheurs à l'entrée des forêts vierges» (*L'Outaouais supérieur*, Québec, Darveau, 1889, p. 28).

29. *Du pape et extraits d'autres œuvres*, Paris, Pauvert, 1957, p. 166.

6

L'épopée d'une nation romantique

Et puis, si les hiboux disaient:
— La France est morte!
On entendrait là-bas de leur voix
mâle et forte,
Nos enfants, relevant le drapeau
des grands jours,
Crier au monde entier:
— La France vit toujours!

LOUIS FRÉCHETTE, «France»

Toute la difficulté du poème épique de Fréchette, *La légende d'un peuple,* vient du parti de regarder le Canada comme une autre France, un surgeon à peine formé qui mime déjà emphatiquement la souche mère, une histoire encore à faire qui reprend la *geste* de son aînée. Ce faisant, le poète accomplit le cycle héroï-comique du discours ultramontain avec la bonne conscience de son rôle d'anticlérical. Le grand écrivain libéral s'écarte rarement du patriotisme officiel dans ce monument versifié qui répète la participation de la vocation canadienne-française à la carrière historique de la France civilisatrice.

> Ô registre immortel, poème éblouissant
> Que la France écrivit du plus pur de son sang[1]!

Ces vers souvent cités du poème liminaire «Notre histoire» enferment tout le livre dans l'impasse, la France opposant sa propre existence mythique à l'émergence d'un imaginaire canadien condamné à l'enfance par cette ascendance. Car la mère patrie est mondialement lue et célébrée dans sa littérature qui est parmi les premières du monde. Comment proposer sérieusement, en se réclamant d'une filiation semblable, «l'épopée nationale du Canada français»? Au lieu du jeune peuple qui aspire à prendre sa propre place dans le monde, la France continue à déployer seule «le Labarum nouveau»:

> Qui sera le sauveur? quel bras puissant et libre,
> De l'immense bascule assurant l'équilibre,
> Saura maintenir l'ordre en ce fatal milieu?
> Quel timonier serein guidera le navire?
> Quelle main forcera l'Europe qui chavire
>   À servir les desseins de Dieu?
> Ô France, c'est à toi qu'incombe ce grand rôle[2].

Le peuple canadien-français, que veut chanter l'auteur de *La légende d'un peuple,* reste un acteur secondaire sur cette scène universelle où se joue le

---

1. «Notre Histoire», dans *La légende d'un peuple,* préface de Jules Claretie, Québec, C. Darveau, 1890, p 13. Toutes les citations renvoient à cette édition. Il n'existe pas de réimpression récente de cette œuvre.

2. «France», *Ibid.,* p. 333.

destin de la civilisation brillamment défendue par la Grande Nation. Sous cet éclairage grandiose, les héros de *La légende* ressemblent aux personnages historiques bizarrement costumés de l'histoire du Canada traditionnelle, de Jacques Cartier à Louis Riel, sans oublier Dollard et ses braves ou les pittoresques patriotes de 1837.

Le grand œuvre de Fréchette accomplit prosodiquement ce que l'on pourrait appeler le cycle des saints martyrs canadiens, ce cortège d'actions suicidaires qui fait écran à l'obscure volonté d'oblitérer l'image d'une France triomphante. Car une logique inavouable travaille à la célébration pléthorique des glorieux ancêtres: il s'agit plutôt de recouvrir l'obsédante parenté en l'accablant d'hommages et d'accéder enfin à la majorité en l'immolant symboliquement.

> Subis ta sainte loi: civilise ou péris!
> Oui, péris, s'il le faut — pardonne à ce mot sombre! —
> Ainsi qu'un grand navire incendié qui sombre,
> Ou plutôt comme l'astre immense qui s'éteint,
> Le soir, dans les brasiers de l'horizon lointain[3]...

Une fois remplie cette condition sacrilège, les timides orphelins de 1760 revêtiraient enfin les insignes lumineux de leur «mère[4]» tombée et porteraient encore plus haut son éclatant flambeau d'astre du monde.

---

3. «France», *Ibid.*, p. 337.

4. Si l'on admet ici l'hypothèse d'un «Œdipe colonial» (voir Pierre Maheu, «L'Œdipe colonial», *Parti Pris*, I, été 1964, p. 9-11), la mère patrie française serait plutôt un père national qui canalise le fantasme meurtrier du peuple rejeton.

La forme du poème se heurte à de nombreuses difficultés. Les premières pages du livre donnent à croire que l'auteur a opté pour la première personne, mais on passe bientôt sans transition à la troisième, puis ce sont des retours, apparemment immotivés, soit à l'instance subjective principale, soit à un narrateur secondaire qui s'adresse au poète, ce dernier s'installant alors dans l'écoute attentive qui recueille le témoignage direct pour le reproduire simultanément dans le poème. La critique a d'ailleurs signalé ces problèmes dès la parution de l'ouvrage[5]. Cette incohérence de points de vue affecte certainement l'unité narrative qui introduit les souvenirs, les visions ou les méditations du poète penché sur les documents qu'il recense ou emporté par la source vivante d'un témoignage ou d'une expérience personnelle. La composition elle-même de ces éléments disparates est fort lâche et consiste tout au plus à rassembler des pièces d'abord publiées dans diverses circonstances, comme le note David M. Hayne:

> Une vingtaine de poèmes de l'édition de 1887 semblent avoir été écrits exprès (sur les quarante-neuf pièces que compte en tout le livre), tous les autres ayant paru dans la presse périodique entre 1882 et 1886: c'est du moins la conclusion à laquelle ont abouti les recherches menées par Fernand Fortier pour son édition critique[6].

---

5. Voir Marcel Dugas, *Un romantique canadien: Louis Fréchette 1839-1908*, Montréal, Beauchemin, 1946, p. 202.
6. David M. Hayne, «*La légende d'un peuple* de Louis Fréchette», dans *Dictionnaire des œuvres littéraires du Québec*, tome I, p. 444.

La visée épique de l'entreprise s'accommode mal d'une pratique de publication que Fréchette semble avoir adoptée tout au long de sa carrière, ajoutant quelques inédits à des textes déjà parus pour former un nouveau titre, reprenant ici, retranchant là, faisant flèche de tout bois et travaillant surtout au gré des événements. Le poète apparaît ainsi comme le secrétaire de son œuvre. David Hayne écrit des autres recueils de Fréchette qu'ils «réunissent un peu au hasard les écrits de l'auteur[7]». On peut compter bon nombre de poèmes de *La légende* qui sont tout simplement des pièces de circonstance dictées par l'événement: «Cavelier de La Salle» a été composé pour le dévoilement du monument commémoratif du découvreur, le 26 mai 1887, dans la cathédrale de Rouen, sa ville natale[8]; «Les excommuniés» a été lu en octobre 1883 lors d'un banquet offert à Montréal au député français Vermond, représentant du gouvernement de la Troisième République[9]; les vers de «La Capricieuse» étaient adressés «aux marins de La Magicienne et du Dumont d'Urville, qui visitèrent Montréal en 1882[10]»; certaines pièces appartiennent carrément au journalisme polémique, comme «Le dernier martyr» qui porte sur l'exécution de Riel, à

---

7. «*Les feuilles volantes* de Louis Fréchette», dans *Dictionnaire des œuvres littéraires du Québec*, tome I, p. 253.

8. *La légende d'un peuple*, p. 346, note 14.

9. Jules-Paul Tardivel, rendant compte de l'événement dans son journal *La Vérité*, écrit: «Il nous semble que le poète aurait pu trouver des héros canadiens sans aller les chercher parmi les excommuniés» (*La Vérité*, 3 novembre 1883).

10. *La légende d'un peuple*, p. 360, note 44.

NAISSANCE D'UNE LITTÉRATURE

propos de quoi Fréchette précise en note qu'il considère l'élection de Mercier, en 1886, comme la réponse populaire au parti conservateur qui a assassiné le chef métis.

Le poème «Notre histoire» place le lecteur en présence du poète vénérant le texte sacré et saluant les noms des héros qui ont assuré la présence française en Amérique. La documentation se substitue à l'objet de l'œuvre qu'on voudrait lire. Un grand nombre de notations s'attachent au support matériel du pieux légendaire (annales, archives, feuillets, bulletins, etc.), comme si le poème pouvait transcrire sans écart une quelconque vérité du parchemin. Cette position initiale du poète devant ses matériaux rassemblés, cette attitude studieuse qui incline aux longueurs méditatives plus qu'au vif de l'action, on les trouvera inchangées tout au long du texte. On sent la pose de cette attitude romantique: c'est Lamartine devant «Le lac», c'est René ruminant ses malheurs dans les déserts du Nouveau Monde. On a tant reproché à Fréchette son imitation impénitente de Hugo qu'on a négligé de noter à quel point il est également tributaire de toute la bibliothèque romantique.

À la fin de «Notre histoire», le moi du poète intervient dans une série de questions suscitées par le sang versé, par la répression, par l'humiliation du faible au profit du plus fort et cette interrogation sonde les desseins de Dieu. La curiosité est légitime et la question pertinente, mais elles s'avèrent toutes deux purement rhétoriques. La réponse est toute prête et les trois mille vers qui la développent n'y ajoutent qu'une amplification sonore: rien de grand qui ne sorte du sacrifice des martyrs; la grandeur du Canada était dans sa défaite. Tel est le sens d'une histoire qui s'achève le mieux du monde, «les ennemis d'hier (étant devenus) les frères d'aujourd'hui[11]»!

Le «je» de cette profonde réflexion n'est pas un véritable je, mais plutôt le surmoi idéologique dont on reconnaît la présence chez tous les écrivains de l'époque. Dès qu'il taille sa plume de poète national, c'est au patriotisme convenu de ses contemporains que l'auteur de *La légende* fait naturellement écho. Il tente en fait différents procédés pour assumer personnellement la matière de son chant, mais c'est chaque fois le ton des grands discours de circonstance qui l'emporte, avec l'accent discernable des clichés ressassés par la fiévreuse rhétorique qui s'est emparée de la fibre nationale. S'agit-il de décrire la cour de François Ier saluant le départ des futurs découvreurs, la première personne disparaît au profit d'un récit objectif: comment, par quel subterfuge le narrateur connaît-il les événements qu'il raconte; déchiffre-t-il encore des documents historiques; libère-t-il enfin son imagination poétique? La vision retombe toujours sur l'inertie de son support matériel: «Le monarque, — j'ai vu quelque part ce tableau —»; «De quels mots vous peindrais-je, ô spectacle sublime[12]?»

11. *Ibid.*, p. 21.
12. «La Renaissance», *Ibid.*, p. 30 et 35.

Avec la pièce intitulée «Première messe», le lecteur suit les marins bretons dans le Nouveau Monde. C'est un bon exemple à retenir pour l'étude de la place du sujet dans la narration poétique. Le je se fond cette fois à l'intérieur d'un nous: quel est ce groupe qui inclut la solitude rêveuse du poète? Les premiers vers, d'un effet presque heureux, laissent croire à une prosopopée qui inclurait le narrateur dans l'expédition malouine, mais l'emploi d'un mot comme «steamer» a tôt fait de renverser la pente imaginaire d'une telle lecture. Cet indice lexical oblige à voir le poète en touriste qui reprend prosaïquement, avec les moyens techniques de son temps, l'itinéraire des premières découvertes. Du coup la mise en scène historique s'écroule pour laisser voir un assez pompeux récit de voyage.

> L'ombre était solennelle et la scène absorbante,
> (...)
> La lune me surprit là, plongé dans mes rêves[13].

Voici plutôt la situation: le poète est un pèlerin qui navigue jusqu'à Tadoussac, site de la première messe américaine[14] des marins du vieux monde. À quoi songe le visiteur ému? À la mission providentielle qu'inauguraient les découvreurs à leur insu:

> Je croyais voir aussi, du fond des bois épais,
> Labarum bienfaisant de concorde et de paix,
> Comme une grande main fraternelle se tendre...

---

13. *Ibid.*, p. 48-49.
14. Il semble que le fait soit controversé chez les historiens mais admis par la tradition. Voir note 7, p. 343.

> Et, dans l'ombre du soir, il me semblait entendre
> Une voix qui disait, venant je ne sais d'où:
> — Devant moi seul ici l'on pliera le genou[15]!

Étrange effusion de la part d'un poète républicain: le Labarum est le symbole de victoire qui fonde l'alliance des pouvoirs spirituel et temporel sous l'empereur Constantin et annonce au monde l'ère de la chrétienté. Fréchette parle le même langage que Mgr Laflèche. *La légende* abuse d'une émotion livresque qui lie pieusement la vie des missionnaires aux travaux des pionniers.

> Hélas! en feuilletant ces pages, l'on s'arrête
> Oh! lorsque je parcours nos annales naissantes,
> Et que, tournant du doigt ces pages saisissantes,
> J'essaye à suivre un peu par la pensée, au fond
> De la forêt immense encore inexplorée,
> Ces immortels semeurs de la moisson sacrée,
>   J'en éprouve un trouble profond[16].

La figure de l'écrivain pâlissant sur les nobles papiers de l'aventure fondatrice laisse assez voir le défaut de la cuirasse. Le ton est forcé, les soupirs sonnent faux et rien ne peut faire en sorte que cet effort laisse place à la magie verbale du poème. Le vers n'arrive pas à sauver le texte national qui reste lourdement prosaïque, en dépit des ressources prosodiques du mètre. Des harangues politiques à la rhétorique d'église, sur toutes les tribunes et du haut de toutes les chaires, c'est la même ardeur patriotique qui investit toute parole et la poésie est

---

15. *La légende d'un peuple*, «Première messe», p. 51-52.
16. «Missionnaires et martyrs», *Ibid.*, p. 70.

également victime de ce coup de force qui prend la pensée en otage. Dans les meilleures pages de *La légende*, le talent du versificateur fleurit en beauté descriptive et le paysage remplit l'espace d'un texte réduit à la majesté du «tableau», mais le héros s'en trouve éclipsé dès que la vision doit faire place à l'action. C'est le cas dans «Jolliet» dont le titre initial, «La découverte du Mississipi», rendait mieux compte de l'objet véritable du morceau. La subjectivité s'élève pourtant ici à une sorte de participation mystique qui emporte l'adhésion du lecteur. Les cris «Jolliet! Jolliet!», qui apostrophent le découvreur, rompent malheureusement le charme: c'est tout le poème qu'il aurait fallu placer dans la bouche du héros. La division subsiste donc entre une narration qui tente de s'élever à la hauteur de l'explorateur et une autre qui veut exprimer les sentiments du poète. Les deux voix viennent tout près de se fondre, ce qui serait évidemment la solution idéale, mais le pas décisif n'est jamais franchi. Le souffle épique que cherche maladroitement toute la pièce serait à ce prix. Faute de cela, l'inspiration reste dispersée entre deux pôles intérieurs qui se disputent la puissance du texte. Il en résulte de beaux accents lyriques, des effets passagers, sans que l'ensemble atteigne toutefois à l'ampleur qu'exige son objet.

> Et puis, berçant mon âme aux rêves des poètes,
> J'entrevoyais aussi de blanches silhouettes,
> Doux fantômes flottant dans le vague des nuits:
> Atala, Gabriel, Chactas, Évangéline,

Et l'ombre de René, debout sur la colline,
Pleurant ses immortels ennuis[17].

Mais «ces visions poétiques et roses» ne règlent pas la question de la place du sujet dans le poème. La pierre d'achoppement reste inébranlable.

Fréchette a essayé différents moyens pour résoudre ce problème. Ailleurs il met en scène un narrateur populaire pour tâcher de pénétrer à l'intérieur de son univers poétique. Le dernier poème de la Deuxième Époque, intitulé «Cadieux», appartient à une configuration thématique répandue dans l'œuvre de Fréchette: je propose de l'appeler «le cycle de Baptiste Lachapelle», du nom d'un draveur illettré qui joua un grand rôle dans la vocation poétique de l'écrivain, selon le témoignage qu'il en donne lui-même dans ses *Mémoires intimes*[18]. Les contes (en prose) de *La Noël au Canada*[19], en particulier ceux qui mettent en vedette Jos Violon, confient souvent la narration à un aède populaire dont la mise en situation sert à accréditer la fiction, sous le double rapport de la langue et du témoignage: la forme quasi rituelle du conte atteste que le conteur a assisté aux péripéties qu'il relate ou qu'il en a été un des acteurs. Cette technique n'est pas directement transposable à l'épopée en vers. Fréchette s'y essaie pourtant et on comprend de quel secours

17, «Jolliet», *Ibid.*, p. 90.

18. Montréal, Fides («Nénuphar»), 1977, p. 41-53 et 97-102.

19. Montréal, Fides («Nénuphar»), 1974, 184 pages; aussi *Contes II — Masques et fantômes*, Montréal, Fides («Nénuphar»), 1976, 370 pages.

pourrait lui être la parole vive d'un personnage ayant directement participé à l'action, quand son élan bute sans cesse sur les relais narratifs qui s'efforcent de transmettre l'héroïsme d'un grand drame historique.

Le cas est complexe. Il reprend à peu près la forme déjà analysée de «Première messe». Le «nous» préside encore à une excursion sur le site d'une bataille dont la tradition a conservé le souvenir dans une complainte naïve que chantent pour rythmer leur effort une équipe de pagayeurs. Les paroles de la complainte de Cadieux, héros obscur des guerres iroquoises, sont reproduites en note et qualifiées par le poète de «strictement historiques[20]». Le brave a attiré sur lui une embuscade de l'ennemi afin de sauver ses compagnons. Avant de mourir isolé dans la forêt, épuisé et cerné par l'ennemi, l'éclaireur a composé un chant d'adieu déchirant. Voilà pour l'anecdote. Le personnage de Cadieux — soldat d'élite et poète rustique — n'est pourtant pas le narrateur du poème de Fréchette qui porte son nom. C'est plutôt le guide du canot qui raconte, un certain José, en conduisant le poète au lieu de l'exploit. Le lecteur refait donc, avec le groupe des voyageurs, le chemin qui va jusqu'à la fosse de Cadieux, à l'endroit même où fut retrouvée sa complainte griffonnée sur une écorce de bouleau. Ce sont les traces de l'événement qui supportent le récit et José se retrouve dans la même situation qui, tout à l'heure,

---

20. *La légende d'un peuple*, p. 348-349, note 18.

était celle du narrateur principal: toutes les ressources qu'il déploie pour rappeler une grande action se
réduisent à la matière documentaire de sa narration.

> — Nous pourrons visiter, à quelques pas d'ici,
> Un humble monument dressé sur une tombe.
> (...)
> Cette tombe, Messieurs, c'est celle d'un héros[21]!

Le procès de caractérisation des nombreux
héros de *La légende* fait également problème, autant
que les structures narratives qui les portent à l'attention du lecteur. Les moyens stylistiques employés
pour singulariser chacun d'eux les font plutôt se res-
sembler comme des jumeaux identiques. Tous se
reconnaissent à leur front nimbé d'une sorte d'aura
céleste, diadème ou couronne qui codifie rigide-
ment la fonction héroïque, comme font les auréoles
qui identifient les saints dans la peinture religieuse.
Ce stéréotype visuel obsède tous les écrivains de
l'époque qui ont donné dans la mode des légendes
(je l'ai déjà remarqué à propos de celles de l'abbé
Casgrain) et paralyse tout ressort proprement vision-
naire. Dès qu'un personnage se présente, il faut que
s'allume aussitôt sur sa tête le signe de l'élection
providentielle, le stigmate du peuple prédestiné, la
marque du doigt de Dieu. Le héros désigné est d'ailleurs souvent en prière, offert, attendant le sceau de
son destin privilégié. L'oraison et la mort sont les
attributs ordinaires de la carrière héroïque telle
qu'elle s'inscrit dans *La légende*. De l'appel divin à sa

---

21. «Cadieux», *Ibid.*, p. 126.

sanction par le martyre, la trajectoire est non seulement sans surprise mais bien vite accomplie. Le
poème banalise ce qu'il devrait élever. Le sang sanc-
tifié des héros immolés en grand nombre, voilà
l'encre avec laquelle s'écrit *La légende.* D'abord marqué par Dieu, le héros signe à son tour de sa vie le
sol sacré de la patrie. Telle est la voix messianique
qui s'adresse au nouveau peuple élu à travers son
histoire nationale. «Un éclair brille au front de ce
prédestiné[22]»; «Quel éclair triomphant, à cet instant
de fièvre, / Dut resplendir sur ton front nu[23]»; «...son
front par la mort alourdi / Gardait comme un reflet
de l'oraison suprême[24]». Le refrain est hélas d'une
monotonie à périr et ne varie guère, qu'il s'agisse de
Cartier, de Jolliet, de Cadieux ou d'un autre.
Comme l'écrivait déjà il y a longtemps Marcel
Dugas, *La légende* de Fréchette n'est qu'un manuel
de prédication, «une sorte de catéchisme national»
où les Canadiens peuvent apprendre «le nom des
grands morts, des jeunes héros et des vierges
immolées[25]».

Chénier a lui aussi «un éclair aux sourcils», mais
il porte assez mal la palme des bienheureux. Le
modèle de l'héroïsme chrétien ne sied pas à ce
révolté qui sème sa violence libératrice dans l'harmonie hagiographique du tableau. Ce qui sauve

22. «Saint-Malo», *Ibid.,* p. 34.
23. «Jolliet», *Ibid.,* p. 87.
24. «Cadieux», *Ibid.,* p. 133.
25. Marcel Dugas, *Un romantique canadien: Louis Fréchette 1839-1908,* p. 202.

peut-être le bouillant patriote, c'est la profanation de son cadavre par un geste de l'ennemi qui «eût fait rougir des cannibales[26]», ce qui permet au rebelle mutilé de rentrer de plein droit dans la cohorte des glorieux. Nous sommes dans une logique singulière, où la défaite est le prix de la victoire. L'exemple de Chénier est intéressant parce qu'il pose le cas limite du livre tout entier. Fréchette emboîtait le pas à son ami Laurent-Olivier David, qui venait de consacrer un beau livre de réhabilitation, *Les Patriotes de 1837-1838* [27], à ceux qui avaient pris part au soulèvement populaire déclenché par Louis-Joseph Papineau. «Chénier» est aussi un poème important parce que Fréchette y réussit, comme nulle part ailleurs dans *La légende*, une narration centrée sur l'action. La bataille de Saint-Eustache y est vivante de carnage, pour ainsi dire.

La troisième personne omnisciente assume sans détour l'objectivité du récit. Le poète parle-t-il au nom de l'histoire? Le texte écarte enfin ce fouillis de témoins et de documents où d'ordinaire il s'empêtre. L'accablante lourdeur visuelle des tableaux d'époque est réduite à cette phrase: «Alors l'œil ébloui / Vit là se dérouler un spectacle inouï[28].» De qui cet œil attentif est-il la conscience vive? Peu importe, puisque le procédé permet enfin au héros d'accéder au feu de l'action, pour employer une

---

26. «Chénier», *La légende d'un peuple*, p. 259.
27. Eusèbe Senécal et Fils, 1884, 294 pages.
28. «Chénier», *La légende d'un peuple*, p. 257.

autre métaphore très malséante dans un pareil contexte. Contre un ennemi qui compose avec la délation, le pillage et l'infamie, sans compter l'avantage du nombre, Chénier court au sacrifice comme tant d'autres dans les pages de *La légende,* mais c'est un héros sombre, qui est comme l'image en négatif des saints martyrs tombés avec le sourire de la béatitude et la promesse d'un monde meilleur. Fanatique à la tête d'une bande d'irréductibles, il résiste aux pourparlers conciliants du bon curé Paquin qui voudrait dissuader ses paroissiens de résister à l'occupation du village. Fréchette n'entre pas dans ces détails historiques, mais c'est bien la seule page de son livre où l'on reconnaît la plume du pamphlétaire libéral qui signait du pseudonyme de Cyprien dans les colonnes de *La Patrie.*

On a beaucoup loué les dons de Fréchette pour décrire la beauté naturelle des grands paysages. Une certaine image cosmogonique apparaît dans la suite de panoramas que déploie complaisamment son épopée romantique. Cette métaphore primordiale vient d'un trait convenu de la réalité nord-américaine: la virginité de la nature. C'est d'abord à l'Amérique, jeune et nouveau continent, que s'adresse cette qualité qui entraîne sémantiquement les attributs de fécondité et de féminité, au point que le poème intitulé «L'Amérique» appelle la comparaison mythologique de Vénus.

> Amérique! Salut à toi beau sol natal!
> Toi, la reine et l'orgueil du ciel occidental!
> Toi qui, comme Vénus, montas du sein de l'onde

Et du poids de ta conque équilibras le monde!

Quand, le front couronné de tes arbres géants,
Vierge, tu secouais au bord des océans,
Ton voile aux plis baignés de lueurs éclatantes;
(...)
Amérique! au contact de ta jeune beauté,
On sentit reverdir la vieille humanité[29]!

La consommation de ce rituel nuptial ne peut évidemment se passer de la sanction sacramentelle: en l'occurrence, le mariage est l'institution de la mission divine qui confère à l'humanité le droit de féconder cette terre virginale. L'agent séminal de cet érotisme sacré sera le sang des martyrs dont la symbolique est transparente dans toute la série des poèmes de la Première Époque. Les titres sont éloquents: «Première messe», «Première moisson», «Première nuit», «Premières saisons». Toutes ces prémices connotent le drame géomorphique d'une copulation mystique.

Entre l'homme et le ciel sublime effusion!
C'était l'enfantement, c'était l'éclosion,
Sur ces rives par Dieu lui-même fécondées,
D'un nouvel univers aux nouvelles idées;

C'était l'éclair d'en haut perçant l'obscurité;
C'était l'esprit chrétien, l'esprit de liberté,
Ouvrant, sur cette terre entre toutes choisie,
L'aile de la prière et de la poésie[30]!

Le brave Louis Hébert, apothicaire de son métier et premier colon, séduisit donc sans philtre

---

29. «L'Amérique», *Ibid.*, p. 6-7.
30. «Première messe», *Ibid.*, p. 51.

l'opulente terre canadienne: le célèbre défricheur soupçonnait-il la défloration secrète opérée par le geste auguste du semeur?

> Un repos solennel plein de calme serein
> Plane encor sur ces bords où la chaste Nature,
> Aux seuls baisers du ciel dénouant sa ceinture,
> Drapée en sa sauvage et rustique beauté,
> Garde tous les trésors de sa virginité[31].

La fondation de Montréal est évoquée dans une atmosphère pleine de mystère nocturne qui s'exprime également par l'image d'une gestation mystique:

> C'était le désert fauve en sa splendeur austère.
> Rien n'animait encor le vierge coin de terre
> Où Montréal devait plus tard dresser ses tours.
> (...)
> — Vous êtes, dit le prêtre, un grain de sénevé
> Que Dieu jette aujourd'hui dans la glèbe féconde;
> La plante qui va naître étonnera le monde;
> Car, ne l'oubliez pas, nous sommes en ce lieu
> Les instruments choisis du grand œuvre de Dieu! —
> (...)
> Ô genèse sublime! ô spectacle idéal!
> Ce fut cette nuit-là que naquit Montréal[32]!

Les milliers de vers de *La légende* ressassent les mêmes lieux communs qui encombrent la prose nationaliste et historique contemporaine. Il faut y voir sans doute un triste effet de l'homogénéité sociologique et intellectuelle du milieu ambiant qui, en filtrant les lectures, les mœurs et les idées, stéri-

---

31. «Première moisson», *Ibid.*, p. 54.
32. «Première nuit» *Ibid.*, p. 57-59 et 61.

lisait du même coup la création dans l'ordre imaginaire et la pensée dans l'ordre philosophique ou
politique. Le poids étouffant des doctrines que j'ai
tâché de décrire au début de cet essai a pesé sur tous
les écrivains. *La légende d'un peuple* illustre parfaitement la contrainte exercée sur le sujet écrivant par
la pression diffuse du système sémantique dominant,
et l'exemple est d'autant plus probant que Fréchette
représente justement, après 1860, l'un des rares
opposants déclarés à l'unanimité idéologique du
milieu. Dans toute l'étendue de son poème, on
chercherait en vain un exemple où la conscience
personnelle devient le sujet de la narration. Pourtant, le poète n'a pas choisi de s'effacer pour laisser
une voix impersonnelle — vrai sujet verbal de *La
légende* — occuper le premier plan de l'énonciation.
Le narrateur reprend inlassablement la même posture, se campant dans un angle étudié du tableau,
remplissant seul la matière désertée de sa composition, s'efforçant d'animer les figures livresques du
texte national. Pendant que le journaliste de *La
Patrie* dénonce énergiquement le paternalisme du
clergé, le «lauréat[33]» se fait complaisamment l'écho
sonore du patriotisme officiel.

L'échec de Fréchette en tant que poète épique
porte à conséquence; ce n'est pas seulement le
talent d'un écrivain représentatif de son époque qui

---

33. Des adversaires de Fréchette, l'ayant surpris en flagrant
délit de plagiat, l'ont affublé de ce surnom pour railler le lauréat du
Prix Montyon de l'Académie française, que l'auteur des *Fleurs boréales*
avait mérité en 1880.

touche ici à ses limites, c'est aussi le projet littéraire du nationalisme canadien-français qui accuse chez lui ses plus profondes contradictions. On peut d'ailleurs en trouver une preuve supplémentaire en étudiant la réception critique de l'œuvre par ses contemporains.

En 1888, H.E. Tourigny publie dans la *Revue canadienne* une série de trois articles sur *La légende d'un peuple*. La visée morale de la critique littéraire de l'époque est déclarée d'entrée de jeu. Le commentateur commence par solliciter le concours de «tous ceux à qui incombe la tâche délicate de la haute éducation, (...) s'ils veulent préserver notre littérature naissante de la plaie européenne[34]». Le moyen d'atteindre cet objectif n'est autre que la pureté du goût. Dans la livraison qui précédait celle où a paru le texte de Tourigny, la *Revue canadienne* s'excusait de ne pas offrir à ses lecteurs, dès le présent numéro, une recension plus complète que ces quelques extraits de *L'Univers* de Paris, journal dirigé par l'écrivain catholique Louis Veuillot: E. des Buttes y trouve que le «Prologue» de *La légende* est «un peu surchargé d'idées modernes» et que «certaines tirades (sont) entachées de l'utopie progressiste[35]». Mais revenons à H.E. Tourigny, qui professe un vrai cours de littérature nationale. Le critique scrute le poème de Fréchette sous trois aspects: les idées, la composition, le style. L'entrée

---

34. *Revue canadienne*, 1888, p. 259.
35. *Ibid.*, p. 200.

en matière consiste à établir que le bon goût, c'est l'antiromantisme. Ce principe, écrit Tourigny, impose des devoirs à toutes les maisons d'enseignement. Le titre de Fréchette est le premier défaut de son poème: seule la réclame commerciale a pu inspirer ce décalque de Victor Hugo, car l'auteur canadien n'entend rien aux légendes telles qu'il faut les entendre dans le *bon sens* du mot. Et le critique de définir ce mot clef en répétant à peu près l'abbé Casgrain qui en avait fourni le canon un quart de siècle plus tôt:

> La légende d'un peuple, c'est le cycle qu'il accomplit sous la haute direction de Dieu, dans sa marche vers Dieu, c'est, en d'autres termes, l'action de Dieu par ce peuple. (...) Vos légendes sont le cadavre démembré de la légende nationale, l'âme y manque.

> C'est une faiblesse chez notre lauréat, d'aimer, comme il le fait, le nouveau régime, et c'en est une autre de haïr l'ancien, comme il le hait ou mieux c'est une seule faiblesse en partie double[36].

Le deuxième point de la critique porte sur la forme, sur la manière de dire, la «pose théâtrale», la recherche de l'effet, les défauts de l'agencement de l'action, enfin la manie du poète de figurer lui-même au milieu de ses héros:

> Ses personnages ont tous chaussé le brodequin ou le cothurne et ils posent à la façon d'un premier rôle qui sent venir le coup de théâtre. (...) Tous ils vous dépassent de la tête et plus; ce n'est pas qu'ils aient plus haute stature ni qu'ils montrent une intelligence supérieure;

---

36. *Ibid.*, p. 395 et 262.

c'est qu'ils ont monté sur quelque chose, une butte, un rocher, une falaise, voire même, dans la rencontre, un gibet ou un affût de canon[37].

Mais c'est le troisième volet qui réserve l'argument décisif, là où Fréchette est pris «en flagrant délit de romantisme de la pire espèce», qui consiste à vouloir «faire du vague»; «c'est l'imagination qui se grise de fantômes indécis, c'est le cœur qui s'éprend du vide, c'est la raison qui abdique honteusement sa royauté[38]». Ce ne sont donc pas seulement les aspects particuliers, les éléments de l'œuvre qui sont pris en faute, mais surtout le cœur et l'esprit dont elle est animée. Car il en va de l'individu comme de la société: «Il faut (...) que la raison domine chez le poète et que les sens obéissent[39].»

Le mauvais livre est une arme mortelle au service de la révolution, c'est le couteau qui menace l'ordre moral et qui meurtrit la société. On ne sait trop, à lire Tourigny, si Fréchette a trahi la poésie ou s'il a fait outrage à la morale publique. Pour le rédacteur de la *Revue canadienne*, c'est tout un sans doute. Sa lecture est polémique. Au lieu de l'«Ange du Canada[40]» dont Pamphile LeMay faisait planer le vol augural autour des colons de la Nouvelle-France, c'est une ombre plutôt satanique qui rôde, selon Tourigny, près des héros révoltés que Fréchette a

---

37. *Ibid.*, p. 317-318.
38. *Ibid.*, p. 400.
39. *Ibid.*, p. 397.
40. Pamphile LeMay, *Les vengeances*, poème canadien, Québec, C. Darveau, 1875, 323 pages.

dédiés à la liberté du Nouveau Monde. Les principales pièces incriminées sont: «Les excommuniés», «Papineau», «Hindelang», «Le vieux Patriote», autant de «tristes sujets tristement mis en vers». «Certes, écrit le critique, il est dans le plan infernal que les lettres suppriment pratiquement l'intelligence et que le langage se résolve en pures sensations[41].» Ces excès de style sont comparés à ceux de la gourmandise, de l'ivrognerie, du luxe et de la sensualité, tous agents démoniaques. «Nous l'affirmons encore, cette façon d'écrire est immorale, elle est insensée sous la plume d'un homme de bien[42].»

Cette façon de lire *La légende d'un peuple* illustre un débat central de la littérature canadienne-française du XIXe siècle: l'accusation de romantisme qui pèse sur elle en signale, me semble-t-il, un des enjeux essentiels. Il s'agit toujours de créer le rapport le plus efficace entre l'idéologique et l'esthétique, de transmettre la vérité supérieure de la vocation nationale sous la forme d'un poème dont le sujet est arrêté, imposé par l'horizon d'attente qui se réfléchit dans le messianisme. Cette nécessaire transposition achoppe encore une fois sur une question de voix, de manière, de procédés choisis pour faire passer le message divin dans une parole située et pour adapter l'abstraction idéale du salut collectif à l'arrangement narratif des actions accomplies par les héros de l'histoire. La critique de Tourigny qui

---

41. *Revue canadienne*, p. 261.
42. *Ibid.*, p. 397.

reproche à Fréchette de faire «du vague», de céder à la tentation «du vide», de pécher contre la raison par les sensations, de préférer le cœur et l'esprit du romantisme à la royauté de l'intelligence, équivaut à opposer une pratique littéraire au dogme qui devrait l'inspirer, à dresser une contradiction entre le texte immuable de la tradition et l'articulation de son sens transitoire, mobile, hésitant, cherchant la portée actuelle de son courant transhistorique. Ce que Tourigny réprouve dans ce qu'il appelle le romantisme, c'est justement la littérature elle-même et la pente féminine (narcissisme, sensations, théâtre, séduction satanique) sur laquelle elle engage le texte sacré de la vocation nationale.

Ce n'est pas la première fois que Fréchette est traité de la sorte. Cela rappelle un peu la polémique des *Causeries du dimanche* et des *Lettres à Basile*. Le juge Routhier s'était permis, en 1871, d'inviter publiquement son confrère, qui venait de publier *La voix d'un exilé*, à rentrer dans le rang, lui reprochant son départ pour Chicago. «N'oubliez jamais que les deux grands mots, *religion et patrie,* expriment deux grands amours sans lesquels il n'y a pas de poésie possible[43].» Fréchette réplique par des lettres ouvertes qui ravivent la querelle entre libéraux et ultramontains où le drapeau de la papauté combat la liberté moderne. La littérature est ici l'enjeu d'un débat qui situe toutes les questions politiques et

---

43. *Causeries du dimanche,* Montréal, Beauchemin et Valois, 1871, p. 232.

religieuses dans une perspective nationale. Comme si la difficulté de créer une œuvre ne suffisait pas, il faut encore que tout contribue, dans les conditions objectives de l'écriture, à ramener les textes au niveau des intérêts stratégiques d'un conflit de classes médiatisé par des idéologies rivales. La critique de l'épopée de Fréchette, c'est l'orthodoxie de Rome contre le romantisme social de la littérature française dont l'émule canadien a embouché le clairon. La littérature ne peut exister par elle-même, elle transmet nécessairement les idées et les partis qui se disputent son inscription dans le texte socio-historique qui l'a détournée à ses propres fins sous couvert de l'instituer et de la légitimer sur la place publique. Il importe peu que les vers fastidieux de *La légende d'un peuple* soient ratés, mais il est par contre significatif que ceux qui ont constaté les premiers cet échec l'aient fait au nom d'arguments qui nient tout espace propre à l'imagination poétique. Le véritable défaut de l'œuvre est plus apparent encore dans la position de ses censeurs qu'en elle-même. Une instance autonome de négation de la littérature est à l'œuvre dans la littérature dite nationale: elle a commencé par fermer la bibliothèque avant d'ouvrir les archives populaires de la mémoire, de retremper l'histoire dans les eaux de la légende, de censurer les idées au profit de l'Idée et de réformer l'Histoire au nom du Sens de l'Histoire. C'est l'épithète qui souligne le nœud de la contradiction dans l'expression «littérature nationale». Il faut parler au nom du peuple avant d'être poète, essayiste ou romancier. C'est la nationalité qui sert ici de passeport à la littérature et non la littérature qui légitime l'identité de la nation, comme le voudrait la doctrine. Il était peut-être dans l'ordre des choses, c'est-à-dire dans la logique du messianisme, que ce nationalisme produise un peuple littéraire au lieu d'un État national et une identité culturelle en guise de souveraineté politique.

Conclusion

*Que le verbe poétique lui-même puisse cependant se trahir
et s'engloutir dans l'ordre pour se montrer produit culturel, document ou témoignage, encouragé, applaudi et
primé, vendu, acheté, consommé et consolant, parlant tout
seul dans la langue d'un peuple — s'explique par le lieu
même où il surgit — et il n'y en a pas d'autre — entre la
connaissance qui embrasse le Tout et la culture à laquelle
il s'intègre, deux mâchoires qui menacent de se refermer
sur lui.*

EMMANUEL LÉVINAS, «Sur Maurice Blanchot:
la servante et son maître»

Au terme du parcours, le moment est venu de mesurer mon itinéraire, de faire le point sur ses grandes
étapes et sur l'ensemble du terrain couvert. J'aurais
pu évidemment emprunter d'autres chemins, prati-
quer une autre coupe de l'espace exploré, visiter des
lieux différents de ceux auxquels je me suis arrêté et
même choisir d'autres moyens de transport que
ceux que j'ai empruntés. J'ai tenu compte très souvent de l'avis des voyageurs expérimentés qui m'ont
précédé dans ces terres réputées lointaines — pour
continuer à filer cette métaphore. En d'autres mots,

195

que retenir des textes étudiés dans cet essai? Repris du point de vue qui a servi de fil conducteur à leur relecture, quelle leçon offrent-ils? De quel enseignement peuvent-ils être quant à l'évolution d'un imaginaire dont ils constituent les premiers éléments?

S'il existe un lieu commun tenace, c'est celui qui voudrait que ce corpus n'appartienne qu'accessoirement à la littérature, qu'il ne l'intéresse que par le biais de l'histoire et de la sociologie, en un mot qu'il échappe à presque tout ce que l'on s'accorde à mettre aujourd'hui dans une définition de la littérature. La notion de la spécificité du littéraire est le résultat d'une production théorique qui légitime la littérature d'un autre type de société qui est désormais la nôtre. L'horizon d'attente qui caractérise la fin du XXe siècle apparaît précisément dans cette spécialisation, tandis que les écrivains et les lecteurs du XIXe se situaient dans une perspective où la littérature était encore plongée dans une continuité qui la reliait aux autres discours sociaux. Pourtant, les œuvres qui font l'objet de cet essai ne se laissent pas complètement réduire à la production journalistique, à la propagande politique, à l'idéologie. Bien sûr, elles y touchent par tous les côtés, elles leur sont attenantes, les jouxtent, s'en distinguent souvent mal, mais cela ne va pas jusqu'à empêcher de les lire comme appartenant de plein droit à la littérature. Il est facile de contester la qualité littéraire de beaucoup de ces textes, mais le fait de constater qu'un poème est raté ou qu'un roman est médiocre ne suffit pas à faire de ceux-ci autre chose

qu'un poème ou un roman. Il est certain que le messianisme se présente comme l'envers de l'épistémo-
logie critique qui culmine dans la théorie littéraire
moderne: ce qui nous semble une négation de la
littérature était plutôt une façon de s'en servir pour
renforcer la conscience nationale récemment éveil-
lée. S'armer d'une définition spécifique de la littérature, c'est s'obliger, dans le cas du XIXe siècle
canadien-français, à resserrer le corpus en l'ampu-
tant d'une partie importante de ses composantes;
car si la définition sert certainement la précision,
elle restreint par ailleurs le champ et peut aller
jusqu'à poser a priori ce qu'on feint de chercher. Je
pourrais, à la limite, faire la théorie de la nécessité
de limiter l'usage du métadiscours. L'interdiction de
ce qui constitue à nos yeux le caractère littéraire
d'un écrit a pu servir, en d'autres temps, de trait dis-
tinctif à une conception de la littérature, que
l'épithète nationale engageait alors sur la pente de
l'idéologie. Comme l'écrit Manon Brunet:

> Des travaux sur nos élites notamment ont mis en relief
> cette parenté où savoir et pouvoir sont interreliés de
> manière particulière et nous aident à mieux saisir la
> fonction illocutoire de la littérature du XIXe siècle. C'est
> cette parenté pourtant si légitime à l'époque, qui peut
> nous faire croire à la non-existence d'une «véritable»
> littérature, alors que c'est précisément ce qui définit la
> littérature du moment[1].

---

1. Manon Brunet, «Faire l'histoire de la littérature française du
XIXe siècle québécois», *Revue d'histoire de l'Amérique française,* vol. 38,
n° 4, printemps 1985, p. 528-529.

Le messianisme canadien-français tient d'une idéologie monologique qui noie dans l'absolu de la foi tous les messages, qu'ils soient littéraires, politiques ou religieux. L'objet de cette foi passe facilement de Dieu au nouveau peuple élu. Ce que l'on s'entend aujourd'hui à appeler littérature apparaissait à l'époque dans un *continuum*, une série culturelle, une formation discursive plongée dans une généralité telle qu'il est impossible d'en extraire une portion délimitée, à bords fixes, correspondant à quelque modèle schématique conçu selon des principes méthodologiques qui règlent la circulation des informations à l'intérieur d'un champ de recherches. Au lieu de cela, on trouve dans cette littérature la répercussion des messages repérables, des pratiques sociales, des rapports de force des classes ou des groupes antagonistes, tout cela reproduit et mimé, représenté et répété, mais cherchant toujours une forme d'expression adéquate de l'âme collective. Cette situation offre des occasions de s'affirmer dans l'ordre imaginaire. Il n'y a pas à cet égard de solution de continuité entre la littérature canadienne-française et la littérature québécoise. Ce que dit, par exemple, Louis-Georges Carrier de Hubert Aquin conviendrait aussi bien à beaucoup de personnages du XIXᵉ siècle:

> Sûrement qu'il se voyait comme une sorte de Christ. Sans vraiment le dire. Il aurait voulu être un fabricant de pays, un fabulateur d'identité: le maître de la politique et le maître à penser d'un pays à faire évoluer qu'il aurait voulu idéal. Sa *République* de Platon, il la voulait. Il voulait

sauver le monde, les gens malheureux, les gens moins nantis, ainsi de suite. Il voulait être le maître du monde[2].

Pas plus aujourd'hui que jadis la littérature n'est un espace séparé du monde où vivent les auteurs qui l'écrivent; elle ne s'y fond pas entièrement, mais elle entraîne l'écrivain personnage dans une confrontation avec sa réalité qui n'est jamais évidemment qu'une image du monde. C'est dans cette dualité conflictuelle que le scénario du texte national trouve sa dynamique renouvelée, sa pulsion vitale, sa fonction organique, sa dimension collective et son horizon réactualisé. Tantôt cette dualité cherche à réconcilier l'idéologie avec la littérature, tantôt elle met le sujet écrivant en contradiction avec son milieu, tantôt elle oppose la culture au pays[3]; dans tous les cas elle semble aviver la tension intérieure des pôles masculin et féminin. Cette histoire n'étant pas de celles qu'on puisse jamais tenir pour réglées, les textes de cette période nous renvoient à l'interrogation persistante qui les traverse jusqu'à nous.

---

2. Louis-Georges Carrier interviewé par Françoise Maccabée-Iqbal, dans *Desafinado, Otobiographie de Hubert Aquin*, Montréal, VLB, 1987, p. 231.

3. Telle est l'hypothèse de l'article de François Ricard sur Edmond de Nevers, article cité plus haut. «*L'avenir du peuple canadien-français*, écrit François Ricard, est un ouvrage où se rencontrent, mais sans se marier, une culture extrêmement étendue et un patriotisme profond, mais culture et patriotisme, faute peut-être de se rejoindre, y sont l'un et l'autre frappés d'une sorte de paralysie» («Edmond de Nevers: essai de biographie conjecturale», dans *L'essai et la prose d'idées au Québec*, Montréal, Fides, 1985, p. 355).

La parole que fait entendre la littérature messianique veut rappeler à l'âme populaire le souvenir de ses origines. Qu'elle s'autorise de la transcendance, qu'elle parle au nom du génie de la race ou qu'elle s'attarde au tableau détaillé d'une conjoncture qui met en cause l'intérêt sacré de la nation, ce qu'elle donne constamment à lire, c'est moins le contenu précis d'une idée quelconque, voire de l'Idée, que la distance qu'elle permet de mesurer par rapport à un tel contenu. Cette distance m'en apprend davantage sur le sujet national que l'idéologie qui se présente comme la rationalisation de son histoire mythique, puisque c'est dans cette différence qu'apparaît la profonde division de son identité. N'est-ce pas ce qui ressort de l'analyse de *La légende d'un peuple,* après toutes les légendes canadiennes dont le prototype apparaît sous la plume de l'abbé Casgrain? Celui-ci, voulant fonder la littérature nationale, la conçoit comme une légende tirée de la matrice populaire pour traduire la voix implorante de la nation. Mis à part l'injonction faite au Sujet Nation sur le plan supérieur du symbole religieux, les conditions d'existence formelles de ce sujet, lorsqu'il est repris en charge par le code littéraire, relèvent d'une problématique particulière. Je n'ai cessé de noter le divorce affectif qui travaille l'écriture engagée dans la transcription du messianisme religieux en texte littéraire. Là se trouve une figure centrale, construite par des procédés rhétoriques sans lesquels elle n'aurait jamais existé.

Cette figure manifeste l'ambiguïté du discours du père, le tumulte de son désir de redressement, sans doute le défaut de sa volonté de puissance que trahit le regard de la mère, tout ce que j'ai appelé le roman familial pour bien dire que cette oscillation binaire relève entièrement des formes de l'imaginaire. Telle est la position du sujet national et sa figure fait le pont entre le chromo de l'église de Rivière-Ouelle et la cuisine de Joséphine Plouffe, de Rose-Anna Lacasse ou de Germaine Lauzon. En fait, l'abbé Casgrain, qui visait le sublime, aimait voir cette figure en «statue de la mélancolie».

Dans cette tension (voix du père autoritaire/ visage de la mère éplorée) s'ouvre l'espace symbolique du texte national. C'est un système presque aristotélicien, où les passions de l'âme et les genres littéraires trouvent leur place respective, comme les partenaires de ce couple primitif qui n'exprime pas tant la polarité sexuelle que ces couples d'oppositions que sont la légende et le roman, le passé vénérable et l'avenir moderne, la campagne et la ville, la France des fondateurs et les États-Unis où s'exilent les émigrés. On pourrait poursuivre le mouvement désordonné de ces tandems découplés et on parviendrait sans doute, au terme d'une longue liste sur deux colonnes, au manichéisme et à l'antinomie du Bien et du Mal. Cette représentation relève plus de la métaphysique que de la psychanalyse. Le père et la mère dont je parle sont dans le rapport de la loi avec la nature, pas nécessairement dans celui des deux sexes. Ce sont les «deux mâchoires» qui risquent toujours d'engloutir le verbe poétique, selon Emmanuel Lévinas,«entre la connaissance qui embrasse le Tout et la culture à laquelle il s'intègre».

Le messianisme canadien-français comporte deux versants distincts que je propose de considérer, d'une part, comme l'idéologie d'un groupe social particulier (le clergé) et, d'autre part, comme une image du monde qui exprime globalement l'existence problématique de la nation. C'est dans ce cadre d'interprétation que la littérature canadienne-française devient la grammaire d'une langue où parle l'imaginaire collectif. Entre les aléas de la littérature nationale et le décalogue monolithique de la Providence s'étend le chantier d'une construction fictive qui se lit à la fois comme le texte d'un récit et l'élaboration d'un mythe. Entre les quatre derniers chapitres de cet essai et les deux premiers, on peut voir, sur la toile de fond culturelle et historique du milieu du XIXe siècle, se dresser le souvenir sublimé de l'Amérique française devant la crise de croissance du géant américain et à l'ombre protectrice de l'Empire britannique.

Quelle est l'image du monde véhiculée par la littérature canadienne-française sous l'inspiration du messianisme canadien-français? C'est d'abord à cette question que j'ai tenté de répondre aussi clairement que possible, mais sans doute ma réponse ne peut-elle pas être aussi transparente que je l'aurais souhaité. Pour y travailler encore un peu, pour avancer d'un pas dans la recherche de cette clarté, il me faudrait dire maintenant ce que j'entends par une image du monde et je crains que l'on s'attende à trouver ici ma théorie manquante. Je me devrai donc de décevoir jusqu'au bout cette attente, sous peine de me donner le mal et le ridicule d'improviser une théorie qui courrait après sa démonstration avec assez peu d'élégance, comme un homme agité au bord du quai où il vient de manquer le bateau.

Le seul éclaircissement que je suis en mesure d'apporter à ma démarche critique se limite à marquer les grandes divisions de ma terminologie. Ce que j'appelle idéologie, c'est le messianisme qui sert de point de départ à la littérature nationale de 1860; ce que j'appelle une image du monde, c'est ce qu'est devenue cette idéologie, une fois prise en charge par cette littérature; ce que je nomme partout le texte national, c'est le jeu de ce déplacement et de ce relais; enfin la figure centrale ordonnée par le roman familial constitue la structure de tout le processus. Cette figure, c'est le père, clef de voûte du langage et pierre d'angle de tous les discours. C'est lui qui est altéré, contrefait et travesti par le travail de la fiction.

Je ne connais pas le savoir prêt-à-porter, d'un seul tenant, total et totalitaire, qu'il me faudrait posséder pour rassembler convenablement le butin de chasse de ma randonnée au siècle des voyageurs. C'est, contre toute attente, un pays bien fréquenté. J'y ai fait des rencontres assez inoubliables. Il me faut pourtant trouver, j'en conviens, un album de photographies assez grand pour loger la collection des personnages de ce roman familial: tous ces pères irascibles, filles rebelles, mères éplorées, mauvais fils, exilés, révoltés (plutôt rares), tous Canadiens errants. Tirer un fil de marionnettes entre le curé Labelle et Hubert Aquin, entre l'abbé Casgrain et Roger Lemelin, entre Jacques Ferron et le père Michel du bon Joseph-Charles Taché, entre *Une histoire américaine* et Rivardville, j'admets que cela ne pourrait relever que d'une assez piteuse théorie. Aussi n'ai-je pas la moindre tentation de saupoudrer de concepts mes portraits de famille un peu patinés. Je me contenterai du fait qu'il reste beaucoup à gloser dans les rapports textuels que je viens d'esquisser.

J'aperçois la possibilité que tout mon corpus compose les épisodes d'un seul récit élargi, puisque j'en tiens maintenant les invariants. Quel serait l'argument de ce Récit (dont la majuscule fait un mythe, une image du monde)? Que (me) dit le langage de la culture que je découvre à travers les textes littéraires canadiens-français? Toute la question est de savoir si ce pluriel peut se mettre au singulier: est-ce que ces textes forment ensemble *le* texte national et qu'est-ce que ce texte (me) dit? À la première de ces deux nouvelles questions, j'ai déjà répondu oui par mes analyses, chaque fois dans des limites définies par les documents et par la lecture que j'en ai faite. Je crois avoir montré la continuité narrative de mon corpus; il reste à synthétiser le sens qu'il me paraît mettre en jeu.

Ces personnages vétustes me parlent terriblement. Leurs voix n'ont perdu ni le retentissement ni l'accent familier qui distinguent les proches des autres dans la vaste cacophonie du monde. Mais que racontent-ils au juste? Pour le dire enfin, devrai-je me faire verbeux et ampoulé comme *La légende d'un peuple*, sentencieux et dévot comme le père Michel, compassé et disert comme l'abbé Casgrain, aimable et souriant comme le vieux seigneur de Saint-Jean-Port-Joli, précis et expéditif comme le rêve de Jean Rivard? Comme il est facile d'entendre des voix! Vais-je épouser à mon tour la longue patience de ceux qui ne savaient pas mourir? Est-ce le fantôme du vieux soldat de Crémazie («Dis-moi, mon fils, ne paraissent-ils pas?») qui revient ainsi me hanter à la fin de mon essai, comme il l'avait fait au début?

Au commencement était une bonne dame qui racontait à son fils, futur père des lettres canadiennes, des histoires de vieux soldats. Ces histoires allaient devenir des légendes sous la plume de l'enfant prodigue, mais ce déplacement était prévu par Dieu le Père, bien qu'imprévisible à la mère narratrice. De là, tout pouvait s'ensuivre et s'ensuivit de fait. Le jeune homme fit des études et se fit raconter d'autres histoires, parfaitement cohérentes grâce à celles de la Dame, la sainte Église. Le séminariste devint vicaire, sa voix mua, il prit la plume d'un geste d'orateur après avoir médité devant l'ex-voto de l'église paroissiale de Rivière-Ouelle. Le clerc tint conseil avec les sages de la tribu et recruta des disciples qui firent tant et si bien que le texte national fut institué. On y apprit comment la vierge du manoir, Blanche d'Haberville, avait refusé dédaigneusement la main du vainqueur, pourtant galamment tendue; on découvrit que le vénérable voyageur des pays d'en haut était un vieillard agenouillé dans la basilique de Sainte-Anne; on sut que le sol natal était gros d'un roman américain entre New York et le canton de Bristol. Des milliers de pages plus loin et quelques générations plus tard, grand-mère Antoinette, récitant toujours les fables de la mère Casgrain, assaisonnées de quelques variantes de son cru, racontait des histoires effrayantes à son petit-fils, Emmanuel, qui l'écoutait dans son berceau de nouveau-né. Entre-temps, le clavier de Madame Nelligan s'était mêlé aux conseils prosodiques de l'abbé Seers[4], en plaquant ses accords vibrants de remembrance sur la jeunesse glorieuse, quoique brève, de son fils. Plusieurs années s'écoulèrent avant que Louis Hémon ne traverse l'océan du réalisme pour ensevelir dans la neige les membres gelés de François Paradis; puis ce fut la main calcinée de Séraphin Poudrier serrant le reflet brillant d'une pièce d'or dans les débris de sa maison incendiée... et les doigts coupés de Pomme dans une manufacture de la ville... Les mutilations défiguraient les fils de la Promesse!

Dé-figurer, c'est-à-dire rendre les enfants de la patrie à cette réalité sans images que la figuration messianique avait voulu conjurer: tel est bien le

---

4. Mieux connu sous le pseudonyme de Louis Dantin, conseiller et éditeur d'Émile Nelligan.

rapport de la littérature québécoise avec son ascendance canadienne-française. Ce renversement s'effectue pourtant au sein d'une continuité dans l'ordre imaginaire. Pour que la littérature québécoise puisse surgir de la fin de la littérature canadienne-française, il aura fallu que l'ancien système de représentations fût rompu et comme retourné contre lui-même. Et comment retourner le sens d'une image sans entrer dans le jeu de sa représentation? Je veux dire que le texte québécois n'a pas pu s'instaurer autrement que dans les fissures du vieux texte national. C'est répéter lourdement une évidence, me dira-t-on, et je le reconnais volontiers, mais j'ajoute qu'il est peut-être temps de s'aviser d'un fait aussi massif et connu depuis toujours: la langue de ma culture décline ma fibre patriotique au féminin dès qu'elle se met à l'articuler dans l'imaginaire. En d'autres mots, la patrie, qui est l'espace aménagé par l'action des pères, semble curieusement ne pouvoir s'exprimer au Québec qu'avec la voix des mères. Les figures du père que propose l'affabulation du texte national, tel qu'il apparaît à l'origine de la littérature canadienne-française, sont toutes marquées par la même inversion de leur caractère patriarcal et fondateur. Ma lecture a tenté de démonter le mécanisme de cette transformation.

Cependant, l'imaginaire et la forme qu'il imprime en profondeur dans le temps des sociétés ne subsistent pas en eux-mêmes, d'une façon séparée des autres dimensions de la réalité. Les créatures légendaires, les héros romanesques et les figures épiques ne sortent pas tout formés de l'esprit créateur. Le roman familial est fictif, mais sa fiction traduit aussi des situations objectives et des faits incontournables. J'ai essayé de distinguer l'idéologie messianique de la littérature nationale qui s'en réclame pour trouver dans leur rapport la signification du roman familial: la religion du père (histoire sainte et histoire du Canada) et la douleur de la mère (légende populaire et poésie romantique) définissent l'origine du nœud parental qui fait symboliquement de la culture une forme féminisée du pouvoir déficient. Il ne s'agit pas de dénoncer la médiocrité esthétique de la littérature canadienne-française en la portant au compte des valeurs féminines (ce qui serait bien sûr aberrant); il s'agit de savoir pourquoi l'entreprise culturelle inaugure une inflexion notable (et confirmée à long terme) par laquelle les traits virils du héros, qui est censé garantir la grandeur prédestinée de la nation, deviennent le masque souffrant d'une mère éprouvée. Je n'ai évidemment pas d'explication toute prête à proposer. Mais l'établissement d'un fait aussi transparent qu'il est généralement pris pour acquis n'est pas indifférent aux hypothèses qui s'en disputent l'interprétation.

Ce sujet ne m'appartient vraiment plus. Je l'abandonne à lui-même. S'il est perdu, c'est que tout est perdu, car le meilleur y aura été englouti et les plus grands d'entre les nôtres s'y seront consumés en pure perte. Si on peut déclarer qu'une idée est devenue aberrante, peut-on décider qu'une littérature est un échec? Entre les deux, il y a toute la différence qui sépare le raisonnement portant sur des faits de la lecture des mots qui les décrivent. Une idée peut conduire à l'erreur, parce qu'elle prend rapidement le chemin de l'action qui, comme chacun sait, a tôt fait de la confronter à la réalité, cette réalité fût-elle un projet d'écriture. Mais une image du monde, une pure vue de l'esprit, une construction fictive peuvent-elles être soumises à quelque jugement que ce soit? Qui peut assumer la responsabilité d'une vision du monde? La naissance de la littérature canadienne-française est inséparable de la représentation qui projette sur la scène de l'imaginaire les idées du nationalisme messianique. On peut réprimer des idées (cela s'est vu en effet), mais que pourrait signifier la condamnation d'un espace imaginaire? D'autant plus que cet espace est désormais coupé de tout rapport concret avec notre réalité. Considérer comme classé le dossier du XIXe siècle canadien-français, en écrire l'histoire littéraire, en mesurer l'exacte signification esthétique, l'assigner à comparaître devant le tribunal de la postérité, c'est tout ce que j'ai tâché d'éviter et c'est ce que ferait par contre le jugement qui aurait pour effet de l'exclure du champ de la recherche en littérature québécoise. Je crois qu'il s'agit davantage de l'inscrire comme enjeu très actuel d'une littérature qui continue de s'écrire et qui porte encore les traces de ses origines, ce qui est une autre façon de constater qu'elle est toujours vivante. C'est l'espace imaginaire d'une culture dont les traits spécifiques n'ont rien de limitatif et ne peuvent pas être complètement traduits en termes de connaissance exacte qui fait la raison d'être de la littérature. Si la théorie pouvait en rendre parfaitement compte dans un discours définitif, la recherche critique et la création littéraire seraient alors sur le point de s'éteindre ensemble dans une étreinte finale. C'est beaucoup anticiper, me semble-t-il, sur la fin de l'histoire.

Table

Table

Typographie et mise en pages:
MacGRAPH, Montréal.

Achevé d'imprimer en septembre 1989
par les Ateliers Graphiques Marc Veilleux,
à Cap Saint-Ignace, Québec.